LA PRATIQUE
DU STYLE

J. CELLARD, *Le subjonctif : comment l'écrire, quand l'employer ?* 3ᵉ édition.

J. CELLARD, *500 mots nouveaux définis et expliqués.*

J. CELLARD, *Les 500 racines grecques et latines les plus importantes du vocabulaire français.* 1. *Racines grecques.*

J. CELLARD, *Les 500 racines grecques et latines les plus importantes du vocabulaire français.* 2. *Racines latines.*

J.-P. COLIGNON et P.-V. BERTHIER, *La pratique du style. Simplicité - précision - harmonie.* 2ᵉ édition.

J.-P. COLIGNON et P.-V. BERTHIER, *Pièges du langage 1. Barbarismes - Solécismes - Contresens - Pléonasmes.*

J.-P. COLIGNON et P.-V. BERTHIER, *Pièges du langage 2. Homonymes - Paronymes - « Faux amis » - Singularités & Cⁱᵉ.*

J.-P. COLIGNON, *Guide pratique des jeux littéraires.*

J.-P. COLIGNON, *Savoir écrire, savoir téléphoner. Guide pratique de la correspondance et du téléphone.* 2ᵉ édition.

A. DOPPAGNE, *La bonne ponctuation : clarté, précision, efficacité de vos phrases.* 2ᵉ édition.

A. DOPPAGNE, *Les régionalismes du français.*

A. DOPPAGNE, *Majuscules, abréviations, symboles et sigles.*

A. DOPPAGNE, *Guide pratique de la publication. De la pensée à l'imprimé.*

R. GODIVEAU, *1000 difficultés courantes du français parlé.* 2ᵉ édition.

M. GREVISSE, *Savoir accorder le participe passé. Règles - exercices - corrigés.* 4ᵉ édition.

M. GREVISSE, *Quelle préposition ?* 3ᵉ édition.

M. LACARRA, *Les temps des verbes. Lesquels utiliser ? Comment les écrire ?* 2ᵉ édition.

J.-P. LAURENT, *Rédiger pour convaincre. 15 conseils pour une écriture efficace.* 2ᵉ édition.

J.-P. COLIGNON
et P.-V. BERTHIER

LA PRATIQUE DU STYLE

Simplicité — Précision
Harmonie

DEUXIÈME ÉDITION REVUE

DUCULOT

© Éditions DUCULOT, PARIS-GEMBLOUX (1984)
  (*Imprimé en Belgique sur les presses Duculot.*)

D. 1984, 0035.42

Dépôt légal : août 1984

ISBN 2-8011-0527-9

(ISBN 2-8011-0194-X, 1re édition)

AVANT-PROPOS

« Le style peut être défini la forme extérieure de la production artistique », énonce le Dictionnaire encyclopédique Quillet (édition de 1938). Et, en matière littéraire : « On entend par *style* la façon de s'exprimer particulière à chaque individu ; car, bien qu'employant la même langue, les hommes ont chacun un mode d'expression dont il est souvent difficile d'analyser les nuances. »

Ayant dit cela, on en a dit presque assez pour décourager qui que ce soit d'ajouter un mot. En effet, le style étant affaire personnelle, rien n'est plus malaisé que d'en établir une didactique, un enseignement commun. La définition ci-dessus paraphrase la fameuse formule de Buffon : « Le style est l'homme même » (ou : « *de* l'homme même »), souvent altérée en : « Le style, c'est l'homme. » Pour partie, cet aphorisme s'apparente à ce qu'en d'autres termes écrivait Hugo le 26 février 1880 : « Tout homme qui écrit, écrit un livre ; ce livre, c'est lui. »

Stendhal se flattait d'écrire en style administratif. Vrai ou faux, c'était une singularité, un parti pris non extensible : l'art d'écrire ne s'accommode pas des imitations, et qui veut briller doit créer, apporter du nouveau. Chaque homme a son style propre sous peine de n'en avoir aucun.

Sachant, donc, que Zola ne pouvait écrire comme Chateaubriand, ni Céline comme Anatole France, ni Maupassant comme Restif de la Bretonne, on est conscient de ceci : il est impossible d'enseigner quel style cultiver, quel style choisir, et, en serait-on capable, l'entreprise serait stérile.

Cependant, s'il ne saurait être question de préconiser tel ou tel style, puisque chaque utilisateur doit inventer le sien, il convient de mettre en lumière :

— Certaines règles générales, nées de la langue même, de son génie et de son usage traditionnel, et qu'on ne saurait transgresser sans risque ni méconnaître sans imprudence ;

— Certaines fautes qu'il sied d'éviter à tout prix parce qu'elles attentent à la clarté et à l'harmonie du discours et que l'intérêt commun de celui qui s'exprime et de celui à qui il s'adresse est de se comprendre à l'aide d'un instrument clair et harmonieux.

Cela, bien entendu, concerne non seulement quiconque envisage de faire profession d'écrire, mais encore toute personne qui pense avoir besoin, un jour ou l'autre, de s'exprimer par écrit, c'est-à-dire tout le monde. Car tout le monde est appelé à correspondre par lettre, à rédiger un rapport, à faire un compte rendu, voire un article de journal.

Simple ou sublime, vif ou ample, euphémique ou brutal, dépouillé ou redondant, le style doit obéir à une obligation absolue : *être correct*, c'est-à-dire se plier à un minimum de règles, dont l'observance sauvegarde la fidélité à la pensée. Faute de correction, le style perd ses autres qualités.

C'est dans la droite ligne de tels principes que les auteurs de ce guide ont réuni dans ses pages non des consignes ou des recettes de style, mais un certain nombre d'observations qu'ils croient de nature à faciliter sa pratique.

*
* *

Si le style est chose individuelle, il n'en comporte pas moins un élément technique fondamental qui est l'affaire de tous. Cet élément, c'est le maniement même de la langue. On ne l'acquiert, on n'y progresse, qu'en l'exerçant, de même qu'en forgeant on devient forgeron.

L'art d'écrire traduit l'amour du beau, le souci du travail bien fait; mais dans le style éclate le caractère, le tempérament. C'est ce qui le rend intouchable. Remy de Gourmont a écrit à propos du style des phrases redoutables, propres à dissuader qui que ce soit de s'aventurer sur pareil terrain. En voici un échantillon puisé dans *la Culture des idées* (Mercure de France, rééd. 1926; I, 1):

« Le style est aussi personnel que la couleur des yeux ou le son de la voix. On peut apprendre le métier d'écrire; on ne peut apprendre à avoir un style. [...] Écrire ou parler, c'est user d'une faculté nécessairement commune à tous les hommes, d'une faculté primordiale et inconsciente. On ne peut l'analyser sans faire toute l'anatomie de l'intelligence; c'est pourquoi, qu'ils aient dix ou dix mille pages, tous les traités de l'art d'écrire sont de vaines esquisses. La question est si complexe qu'on ne sait par où l'aborder; elle a tant de pointes et c'est un tel buisson de ronces et d'épines qu'au lieu de s'y jeter on en fait le tour; et c'est prudent. »

Après une mise en garde si sévère, si tranchante, notre présomption paraîtra grande d'avoir entrepris ce petit guide. Mais il ne s'agit pas de présomption: nous reconnaissons qu'il y a dans le style une part d'insaisissable qui risque d'échapper longtemps à l'analyse. En nous induisant à beaucoup de modestie, cela ne saurait toutefois nous convaincre qu'un bref traité comme celui-ci est superflu, puisqu'il est avant tout un encouragement à écrire.

IDÉES GÉNÉRALES

• SOYEZ MAÎTRE DE VOTRE DISCOURS, et pour cela imposez-lui (c'est-à-dire imposez-vous) un plan d'une grande clarté.

D'anciens préceptes divisaient le développement écrit en un nombre de parties bien défini. Ces règles se sont libéralisées, et l'on n'en tient plus compte que modérément. Il est toutefois constant qu'un texte bien ordonné demande un début, un milieu et une fin (selon le genre, on dira : une exposition, ou exorde ; une confirmation ; une conclusion, ou péroraison, ou chute).

Pour une personne consciente de ce qu'elle souhaite dire, le démarrage doit être aisé. Boileau vient tout de suite à la pensée : « Ce que l'on conçoit bien s'énonce clairement, — Et les mots pour le dire arrivent aisément. » (*Art poétique*, I.) Cette rime en *ment* n'est ni recherchée ni fort ingénieuse, mais elle illustre une vérité. Et c'est le Petit-Jean de Racine (*Plaideurs*, III, III) qui surgit alors à l'esprit : « Ce que je sais le mieux, c'est mon commencement. »

Commençons donc, et le reste viendra de surcroît.

• FAUT-IL SUIVRE OU TRANSGRESSER LES RÈGLES TRADITIONNELLES ? À cette question, nous répondrons en distinguant :

— Si vous amorcez une carrière d'écrivain et que vous cherchiez à vous donner un style, la seule chose que nous puissions vous conseiller est de faire ce que vous voulez, d'obéir à votre impulsion, à votre préférence, à votre génie propre, seuls capables d'imprégner vos écrits d'une personnalité forte, convaincante, originale, et de vous conférer, parmi les littérateurs, la place que vous convoitez;

— Si vous désirez simplement être compris sans équivoque de ceux à qui vous vous adressez, mieux vaut vous conformer à des règles éprouvées, celles qui, depuis des millénaires, ont rendu plus aisée entre les hommes la communication. Il ne s'agit pas de s'asservir à une tyrannie anachronique ni de témoigner un respect désuet à des conventions obsolètes, mais, très humblement, de profiter d'une expérience venue du fond des âges, dont nous sommes redevables à de nombreuses et laborieuses générations.

Le langage courant a été lentement forgé tant par la pratique populaire que par l'art des maîtres du style. Des aphorismes comme: « J'appelle un chat un chat » (Boileau), « Vous voulez dire qu'il pleut? Dites: il pleut », nous rappellent, surtout quand on les enfreint, à la modestie et au bon sens.

• ACQUÉREZ DE L'ASSURANCE EN ÉCRIVANT. Pour cela, dégagez-vous de deux influences non certes pernicieuses, mais capables de vous inhiber si vous y succombez par trop:

1° Sachez tenir à distance certaines modes, certaines vogues, certains engouements. Vous lisez des romans qui — au sens propre — n'ont ni queue ni tête; ils recèlent peut-être un message profond, peut-être leurs auteurs ont-ils eu grand mérite à leur donner cette langue heurtée, ce plan désarticulé. Vous recevez des revues où figurent des poésies dont vous ne comprenez pas un mot; les poètes ont sans doute chargé leurs strophes de symboles ésotériques ou d'improvisations jaillissantes. Vous allez au cinéma et vous voyez des films du style dit « éclaté », c'est-à-dire que, par des retours en arrière ininterrompus, vous êtes sans cesse écartelé entre le passé, le présent et l'avenir; les réalisateurs ont probablement de puissantes raisons pour œuvrer ainsi. Et cela vous influence. Vous n'osez plus être ordonné, être simple, être direct. Eh bien! osez. Car vous, qui ne faites ni films, ni poèmes, ni romans, qui cherchez seulement à ce qu'on vous comprenne, vous n'avez que faire, pour ce que vous avez à dire, d'une technique alambiquée.

Le roman chaotique, le texte qui saute du coq à l'âne sans mener nulle part, est une recette ancienne. Sterne a conçu ainsi *Tristram Shandy*, son chef-d'œuvre. Quant à la quête de l'obscurité, de l'hermétisme, elle est vieille comme le monde: Lycophron, poète grec du IIIe siècle av. J.-C., a laissé un ouvrage célèbre en 1 474 vers iambiques dont on n'a jamais su au juste ce qu'il signifiait. Mais vous, vous n'êtes pas tenu de vous modeler sur ces exemples. Vous écrivez des lettres, des rapports, des articles: votre intérêt, votre ambition, c'est d'être bien compris. Adoptez donc un style sans ambages.

2° Ne vous laissez pas effrayer par les difficultés de la langue ni par les mises en garde qui fusent de partout. Certes, les guides du langage — et c'est le rôle que nous avons choisi — ont coutume de dire à ceux qui les consultent: faites plutôt comme ceci, efforcez-vous d'éviter cela, attention aux pièges que constituent les barbarismes, les solécismes, les homonymies, les paronymies, les contresens, les janotismes, et autres écueils du bien-dire. Mais leur intention, notre intention, n'est pas de vous terroriser; nous serions marris si nos recommandations avaient pour conséquence de décourager qui que ce soit.

Tout au contraire, persuadez-vous qu'il est facile d'écrire convenablement, et vous y parviendrez chaque fois et sitôt que vous saurez à coup sûr ce que vous voulez exprimer. Pas de panique quand vous buterez sur une difficulté! Et puis, même si vous faites quelques fautes, le mal ne sera pas irréparable puisque vous serez sincèrement disposé à améliorer votre style, à le rendre plus pur, à le corriger avec application, comme les meilleurs écrivains n'ont jamais cessé de le faire, qu'il s'agisse des plus classiques ou de ceux qui affirment le plus se fier à la spontanéité.

• AYEZ CONFIANCE EN LA RICHESSE ET EN LA SOUPLESSE DE VOTRE LANGUE. Elles sont infinies, et les fautes que vous risquez de commettre en l'écrivant et en la parlant, si elles doivent être signalées et corrigées, ne sont que des scories dans le flux de l'écrit et du parler. Il n'existe pas d'être, de chose ni de fait que le français ne vous permette de décrire avec ampleur et précision grâce aux ressources en vocabulaire et en style qu'il vous offre. Parlez-le, écrivez-le, et vite vous acquerrez la confiance qui donne la maîtrise.

• LISEZ LES BONS AUTEURS, grands et petits. Le peuple crée, vivifie et renouvelle la langue en la parlant d'instinct, non certes sans faire des fautes; les écrivains la fixent et l'enrichissent en la travaillant comme leur matière première, et ne sont pas exempts d'erreurs eux non plus. Écouter le parler populaire et lire les bons auteurs est un double exercice excellent pour acquérir un style à la fois correct et naturel.

LE MOT PROPRE

Si, en poésie, il est permis, voire parfois recommandé, de ne pas choisir ses termes « sans quelque méprise » (Verlaine), le style courant, qui seul nous occupe ici, requiert l'exactitude, et les « méprises » dans le vocabulaire exposent celui qui les commet à en causer dans les faits.

N'employez pas *risquer* à contresens : on *risque* de perdre à la loterie, mais non de gagner. En revanche, le mot *chance* est ambivalent : la chance peut être favorable ou non, et, bien qu'on utilise le mot surtout pour les événements heureux, il est licite de l'employer pour un hasard contraire, et même pour un malheur. Exemple : « éloigner les *chances* de mort » (G. Duhamel, *le Jardin des bêtes sauvages*, XVII). — Voir notre guide *Pièges du langage*, chapitre consacré aux « Barbarismes et solécismes ». — Toutefois, quand un sens *risque* d'être trop peu compris, n'hésitons pas à le laisser au domaine littéraire, qui en fera bon usage, ou ne nous en servons qu'avec circonspection dans un texte commun.

Mieux vaut éviter l'emploi de mots ayant pris un sens douteux. Aux colonies, du temps où il en existait, le mot *indigène* était devenu péjoratif à l'égard des gens du pays. Injustement, certes, puisque cela signifie « originaire d'ici »; mais l'usage est parfois absurde et condamne certains mots à un ostracisme immérité. Le mot *nègre*, de même que son féminin *négresse*, a parfois été ressenti comme une injure par des personnes de couleur qui ne s'offusquent pas du mot *noir*; or tous deux ont exactement le même sens. À remarquer qu'on a continué à dire l'« art nègre » sans que cette expression ait rien perdu de son sens noble.

Si cela n'est pas toujours raisonnable, il faut cependant savoir se plier, quoi qu'on en pense, aux injonctions de l'usage, définitif ou momentané. Du moins, répétons-le, dans le style courant, étant toujours bien entendu que les écrivains font ce qu'ils veulent: c'est à eux qu'il appartient de réhabiliter éventuellement les vocables tombés en désuétude ou en défaveur.

• Dans l'optique de ce qui précède, on se conformera à l'usage pour autant qu'il n'est pas désavoué par les spécialistes de la langue. Ainsi, on dit: « un convoi *funèbre* », mais « une dalle *funéraire* »; et, si l'on peut dire indifféremment: « mettre ses *souliers* » ou « mettre ses *chaussures* », on dit exclusivement: « un marchand de *chaussures* » et non point « un marchand de *souliers* ».

• En cas d'embarras, se souvenir de ceci: il n'y a pas d'humiliation à consulter les dictionnaires, les grammaires, les livres traitant du langage. Les plus grands écrivains, les bons journalistes, les correcteurs de métier, les ont constamment à portée de la main. Ils y ont souvent recours pour vérifier la propriété d'un mot ou la correction d'une phrase, voire pour s'assurer qu'*occurrence* et *dessiccation* redoublent bien chacun deux consonnes... Leur expérience, nourrie souvent de beaucoup d'erreurs réparées, sait abdiquer tout respect humain. À ce sujet, voici ce qu'écrivait en 1906 Remy de Gourmont (*la Dispute de l'orthographe*, I): « J'ai lu le *Dictionnaire général* de Hatzfeld ligne par ligne, comme on lit un traité, et l'orthographe de beaucoup de mots m'arrête encore. Cinquante fois par an peut-être, je cherche dans le dictionnaire certains vocables des plus simples, des plus vulgaires, mais dont la forme précise, je ne sais pourquoi, n'a jamais pu entrer dans mon œil. » Il ne s'agit ici que d'orthographe; combien plus importante est l'acception des termes qu'on emploie, et pour laquelle il ne faut jamais hésiter à ouvrir le dictionnaire!

• À titre d'information, voici quelques articulets relatifs à des choix de mots:

— On est *assujetti* à cotiser à la Sécurité sociale, et à celle-ci l'on est (obligatoirement) *affilié*. On est *assujetti* à l'impôt.

— Il est bon de tenir compte des vocabulaires professionnels. Les cheminots, par exemple, sont heurtés quand leur journal parle des « voyageurs d'un wagon de première (ou de deuxième) classe »; en effet, dans les chemins de fer, les trains de voyageurs ont des *voitures* et les trains de messageries des *wagons*. Les dictionnaires récents se conforment à ce langage; ils recommandent: voiture-restaurant, voiture-lit (au lieu de: wagon-restaurant, wagon-lit). Toutefois, la Compagnie internationale des wagons-lits a gardé sa raison sociale en contradiction avec cet usage.

— Pasteur a été l'*innovateur* et l'*introducteur* de la vaccination antirabique, non son *initiateur*, mot auquel certains donnent un sens abusif. En revanche, il fut l'*initiateur* de nombreux disciples (il les *initia* à ses méthodes). Wils fut un des *initiateurs* de l'Europe au tachisme, ou l'un des *innovateurs* du tachisme en Europe.

— *On* ou *l'on*? C'est selon! En principe, et en général, il convient de réserver *l'on* à des cas précis: 1) afin d'éviter l'hiatus (du moins ce qu'en français on nomme improprement ainsi); exemple: *si l'on* vient, recevoir *qui l'on* veut; 2) en vue d'échapper au redoublement désagréable d'une syllabe; exemple: le citoyen *que l'on con*voque (plutôt que: *qu'on con*voque); 3) pour émousser la rencontre de deux *on*; exemple: dans cette nat*ion l'on* a coutume de... (et non: dans cette nat*ion on*...). Dans les autres cas, *on* suffit; néanmoins, il est loisible d'utiliser *l'on* quand il apparaît que l'euphonie y gagne. Mais y recourir est absolument contre-indiqué chaque fois qu'il risquerait de se trouver à proximité d'une ou de plusieurs syllabes contenant le son *l*, à plus forte raison si le contact est immédiat; par exemple, on écrira: *si on l'allonge*, et non: *si l'on l'allonge*, car l'hiatus léger est bien préférable à la succession de syllabes en *l* (lonlallon); de même: *dans cette nation on le loue*, et non: *l'on le loue*, pour la même raison. Ici, c'est l'oreille qui décide.

*   *
*

Mettons en garde contre l'EMPLOI IMPROPRE OU ABUSIF de mots tels que: *dilemme, exaction, alternative, réticence, pratiquement, décade*, trop souvent usités dans une acception altérée.

Exemple d'un emploi de mot impropre: en juillet 1977, devant le siège de l'UNESCO, trois bonzes vietnamiens ont jeûné vingt-quatre heures pour protester, disait une pancarte, « contre la répression religieuse au Vietnam ». Ils voulaient évidemment parler de répression « *antireligieuse* » et disaient le contraire de ce qu'ils voulaient dire, car la répression religieuse, ce fut, par exemple, celle qu'exerça l'Inquisition. Une répression exercée contre la religion est une répression antireligieuse. Pareillement, sur des affiches d'organisations ouvrières, on a pu lire: « contre la répression syndicale », alors qu'il s'agissait, en réalité, de dénoncer la répression antisyndicale, celle qui s'exerce contre les syndicats, les syndiqués, les syndicalistes. Une répression syndicale serait celle qui serait exercée par les syndicats.

DE L'ORDRE DES MOTS

Pour que le langage ne présente ni obscurité ni équivoque, le choix des mots est certes important, mais l'ordre dans lequel ils sont placés ne l'est pas moins. Cet ordre varie d'une langue à l'autre; en français, il se conforme à une logique qu'on ne peut méconnaître sans inconvénient.

Pas question, précisons-le, de s'en tenir à la succession primaire: sujet, verbe, complément. Le français offre d'infinies ressources que le peuple utilise à profusion et que les écrivains ne cessent d'exploiter en les multipliant à leur tour. Toutefois, il demeure que le complément est gouverné par le verbe et que le verbe est régi par le sujet; cela ne saurait être perdu de vue.

Il convient donc, en parlant et surtout en écrivant (l'intonation du discours verbal fait parfois passer sans dommage des formes qui sont critiquables à l'écrit), de veiller à l'ordre des mots et des propositions, de telle sorte que — tout en renouvelant les tournures afin d'éviter la monotonie — la clarté jaillisse de chaque phrase, et l'harmonie de chaque période.

Voici, à bâtons rompus, quelques exemples et indications:

• L'adjectif peut changer de valeur en changeant de place, jusqu'à modifier le sens du substantif qu'il qualifie. Un *brave homme* n'est pas forcément un *homme brave*, un *bonhomme* (ici, adjectif et substantif se sont soudés pour former un substantif nouveau) n'est pas obligatoirement un *homme bon*, et il y a une nuance entre un *homme jeune* et un *jeune homme*, de même qu'entre un *monsieur triste* et un *triste monsieur*; une *cruche triple* est un ensemble de trois récipients accolés formant ainsi un seul objet de poterie (il s'en fabrique de pareils en Grande-Kabylie, notamment), alors qu'une *triple cruche* est une personne très écervelée.

• Entendu à la radio sur un poste périphérique: « Si le permis de conduire stipule l'obligation de porter des lunettes, l'usager qui a une mauvaise vue doit *la* respecter. » On remarquera l'amphibologie: le pronom *la* peut représenter aussi bien *obligation* que *mauvaise vue*, et, si le sens logique suggère que ce ne saurait être qu'*obligation*, la rigueur grammaticale, au contraire, désigne *mauvaise vue*. Il faut éviter ces situations ambiguës. Ici, il y avait lieu de dire: « Si le permis de conduire stipule que son titulaire est tenu de porter des lunettes, l'usager dont la vue est mauvaise doit respecter cette obligation. »

• Relevé dans *Fraternité-Matin,* quotidien de Côte-d'Ivoire: « La compréhension mutuelle [...] est autant sinon plus rare que l'amour réciproque. » Phrase non satisfaisante, car « autant rare » ne se dit pas; on ne saurait autoriser: « autant rare que ». En revanche, on accepte: « est rare, autant que »; c'est donc ici l'ordre des mots plus que leur choix qui se trouve en cause. La meilleure forme sera: « La compréhension mutuelle [...] est aussi rare, sinon plus, que l'amour réciproque ». Mais: « La compréhension mutuelle [...] est rare, autant, sinon plus, que l'amour réciproque », aurait été admissible.

• « Encore jamais » est à éviter. Exemple: « L'illustration a l'[...]originalité de réunir un nombre d'images encore jamais rassemblé. » (Dans un texte publicitaire pour *l'Histoire littéraire de la France,* 1er juin 1977.) Il eût fallu écrire: « ... un nombre d'images *jamais encore* rassemblé », ou: «*jamais* rassemblé *encore* ». En résumé, *encore* doit suivre *jamais*; on le sent très bien si l'on met ces mots en début de phrase: « *Jamais encore* un tel nombre d'images n'avait été rassemblé. »

• Exemple où, comme le tiercé, le discours est dans le désordre: « Aucune autre civilisation n'a peut-être jamais atteint de tels sommets en ces domaines. » (« L'islam au Grand Palais », *France-Soir*, 3 mai 1977.) L'auteur veut évidemment dire, et aurait dû écrire: « *Jamais peut-être* aucune autre civilisation n'a atteint de tels sommets », etc.

• Exemple d'une locution qui n'est pas à sa place: « Si *bien entendu* vous possédez un compte postal, un compte bancaire ou un compte à la caisse d'épargne, vous pouvez verser ce chèque directement à l'un de ces comptes. » (Extrait d'un imprimé de la Mutuelle générale de la presse et du livre.) Il est visible que *bien entendu* est au mauvais endroit. Il fallait soit le mettre au début: « *Bien entendu,* si vous possédez », etc., soit le renvoyer à la deuxième proposition: « ... Vous pouvez *bien entendu* verser ce chèque », etc.

La même erreur est souvent commise avec *tant* et avec *non seulement*. Exemple (à ne pas suivre): « Nous avons examiné ce texte *tant* pour sa valeur littéraire que scientifique. » L'ordre normal est: « ... examiné ce texte pour sa valeur *tant* littéraire que scientifique », ou encore: « *tant* pour sa valeur littéraire que pour sa valeur scientifique ».

Autre exemple fautif: « *Non seulement* je m'arrangerai pour le rencontrer, mais encore pour lui dire son fait. » Le bon ordre exige: « Je m'arrangerai *non seulement* pour le rencontrer, mais encore pour lui dire son fait » (*non seulement* et *mais encore* précédant respectivement les deux infinitifs); ou: « Non seulement je m'arrangerai pour le rencontrer, mais encore je lui dirai son fait » (*non seulement* et *mais encore* précédant les deux futurs).

Cependant, avec la locution *à la fois*, le déplacement, si peu logique qu'il paraisse, est admis, et regardé souvent comme une élégance: « Il aime se promener le soir et *à la fois* deviser avec ses amis. » Ce déplacement n'est que facultatif, et rien n'est plus correct que de dire: « Il aime *à la fois* se promener le soir et deviser », etc.

• Le désordre des mots, et du même coup celui des idées qu'ils expriment, peuvent mener à une construction vicieuse très caractérisée: le *janotisme* (ou *jeannotisme*). En voici un exemple: « Un débat s'est instauré sur la mise en place de nouvelles installations portuaires à l'Assemblée nationale. » Cette phrase désopilante a failli paraître dans un quotidien français du soir; elle fut interceptée par les correcteurs, qui la rectifièrent ainsi: « Un débat s'est instauré à l'Assemblée nationale sur la mise en place de nouvelles installations portuaires. »
« J'ai dit à ma voisine que j'allais manger la soupe » est certainement plus conforme à ce qu'on souhaite exprimer que: « J'ai dit que j'allais manger la soupe à ma voisine. » Le janotisme atteste que le désordre des mots est rarement un « effet de l'art »...

• Ne faites point voisiner deux adverbes en *ment*. Lu quelque part: « Cette solution est *certainement infiniment* meilleure. » Il faut écrire: « *Il est certain* que cette solution est *infiniment* meilleure », ou, si l'on tient aux deux adverbes: « *Certainement,* cette solution est *infiniment* meilleure » (ici, on limite les dégâts). Mais on n'appauvrit pas le sens en supprimant l'un des adverbes, qui ne sont pas indispensables tous les deux (voir plus loin chapitre « Platitude »...).

• Dans ce que vous voulez exprimer, il y a toujours un mot principal. Mettez-le au début ou au point culminant d'une phrase afin d'attirer l'attention sur lui. « La rencontre entre Pierre et Jean s'est déroulée dans ma maison » : cette forme fait porter l'accent sur la rencontre ; « C'est dans ma maison que s'est déroulée la rencontre entre Pierre et Jean » : ici, venant en premier, le lieu qui lui a servi de théâtre, c'est-à-dire votre maison, ressort immédiatement.

Exemple manifeste : « Ce désintérêt pour le livre, M. André Massepain l'attribue à la concurrence croissante de l'audiovisuel, et particulièrement de la télévision. » (« Nos enfants ne savent plus écrire ! », par Agnès Fabre, dans *Sélection du Reader's Digest*, mai 1977.) Si l'auteur avait écrit : « M. André Massepain attribue ce désintérêt pour le livre à la concurrence », etc., le mot *désintérêt* n'eût pas offert le même relief ; or c'était bien lui qu'il convenait de mettre en valeur.

• Si vous écrivez : « un cœur de rat conservé dans l'alcool », dites-vous bien que c'est le cœur qui est conservé ; mais si vous écrivez : « le cœur d'un rat conservé dans l'alcool », c'est le rat tout entier qui nage en son bocal. Craignez-vous une équivoque ? Alors, n'hésitez point à expliciter : « un cœur, prélevé sur un rat conservé dans l'alcool », ou : « un cœur — celui d'un rat — conservé dans l'alcool » (selon ce que vous désirez exprimer).

LA CACOPHONIE

Un style harmonieux exclut la cacophonie. C'est là un problème, mais qu'il ne faut pas compliquer à loisir. Nous ne sommes pas en matière de poésie classique ou romantique, où l'hiatus est interdit, où l'on doit se garder « qu'une voyelle à courir trop hâtée — Ne soit d'une voyelle en son chemin heurtée » (Boileau, *Art poét.*, I), où « ée » et « ie » ne peuvent être suivis d'une consonne initiale, etc. La prose dont nous traitons ignore ces tyrannies, que les écoles contemporaines ont du reste — à tort ou à raison, avec ou sans bonheur — rejetées en grande partie. Ici, nous nous bornons aux contraintes du style courant, pour lequel il est seulement souhaitable d'éluder les aspérités phoniques, les heurts désagréables à l'oreille, les répétitions excessives de consonances, les allitérations ridicules, et, à moins de recherche précieuse, ampoulée ou humoristique, certaines formes grammaticalement correctes mais euphoniquement contre-indiquées.

On proscrira les inversions pouvant prêter à rire: *point ne m'y résous-je, jamais ne m'y assieds-je, perds-je?, qui peut-ce être?* (À noter que Molière tire de ce *qui peut-ce être?* un effet comique dans la tirade d'Harpagon volé: *l'Avare*, IV, VII.) Si *est-ce, était-ce, étaient-ce*, conviennent fort bien, *sont-ce* est déjà moins vivement conseillé, quoique fréquent chez les classiques (Molière, *le Bourgeois gentilhomme*, I, II: « *Sont-ce encore des bergers?* »), et même chez les romantiques (Musset, *le Chande-*

lier); quant à *furent-ce,* il est si insupportable que, de mémoire d'homme, on ne connaît pas de plume qui l'ait employé.

On écrira volontiers: *le puis-je?,* mais non: *le peux-je?* Cependant, *veux-je* est tolérable (« Adèle... votre maman, *veux-je* dire »). Hugo a écrit: « Et, *voulussé-je* même un peu me contenir », mais parmi des vers qu'il n'a jamais publiés.

— Sans condamner tout à fait les formes rocailleuses de l'imparfait du subjonctif, il y a lieu d'en modérer l'emploi, et l'on peut conseiller — nous le disons ailleurs (voir le chapitre « De la concordance des temps ») — de laisser sur la touche celles qui se font par trop remarquer: *il eût fallu que tu t'assisses, il aurait désiré que nous le lui ressassassions.*

— On évitera les cascades de *tion - sion - cion*: *la propension à la suspicion régnant dans la fédération*; de même que les consonances en écho amenant des rimes intempestives: les pro*grès* fu*turs* des en*grais* dans l'*agricul*ture, *aussi* a-*t*-on *haussé* le *ton,* quand *tond-on ton tonton?* (Alphonse Allais), ils ont tendu tout *à l'heure leurs leurres.*

— Une méticulosité consiste à limer autant qu'on peut — mais sans se laisser absorber par ce souci tout de même secondaire — les mots-tampons afin de conjurer des bégaiements dont voici quelques exemples: « À ce *sujet, j'ai* dit que... » (*jé-jé*), « On a muti*lé les* organes vitaux » (*lé-lé*); « De l'ar*gent, j'en* ai » (*jan-jan*); « Les revues à pe*tit ti*rage » (*ti-ti*), etc. Dans le premier de ces exemples, on peut écrire: « À ce propos, j'ai... »; dans le deuxième, changer le temps du verbe (mutila) ou la construction de la phrase; dans le troisième, intercaler un mot passe-partout (oui; certes) entre *argent* et *j'en*; dans le dernier, mettre: « ... à faible tirage ».

Toutefois, répétons-le, c'est là un détail mineur dont on ne peut pas toujours tenir compte. Impossible de modifier une expression consacrée ou figée comme: insou*mis mi*litaire, uniquement pour supprimer le *mi-mi*, cela deviendrait de la phobie! Les poètes eux-mêmes passent outre parfois; tel Edmond Rostand, insensible ou indulgent au *sé-sé* présent dans ce distique de *Cyrano de Bergerac* (I, v): « Regarde-moi, mon cher, et dis quelle espérance — Pourrait bien me lai*sser cet*te protubérance! » Idem Hugo: « Caïn se fut enfui *de de*vant Jéhovah » (*Lég. des sièc.*, « La conscience »). Il n'en reste pas moins qu'il vaut mieux ne pas écrire: « Cepen*dant, dans Dan*te... », ni: « C'est pour*tant tentant.* »

Autre recommandation: se méfier des rencontres de mots pouvant donner lieu à des à-peu-près, à des calembours ou à des contrepèteries (à moins, bien entendu, qu'on ne les recherche expressément). Par exemple, bannir la hideuse expression *ceux-ci sont*, à cause de la ressemblance avec *saucissons* (« ceux-là sont de Marseille, ceux-ci sont de Lyon »). Proscrire aussi le disgracieux *laoula* qui semble ioulé par un vocalisateur tyrolien: « Il faisait de l'escalade *là où la* montagne était abrupte. » Comme exemples d'homophonies indésirables, rappelons pour mémoire ce vers d'un poète français: « Nous entrons dans la vie et le *vieillard en sort* » (hareng saur), et celui-ci, d'un dramaturge belge: « Le sceptre dans sa main n'est pas un *petit poids.* »

En dehors de ces accidents de la circulation linguistique, il est des rencontres de sens à éviter parce qu'elles donnent aisément carrière à la plaisanterie: « Dans Blois, la rue était engorgée, il y avait un *embouteillage au château* » (rapprochement avec l'expression: « mise en bouteilles au château »), « Les inondations ont causé une perte *sèche* de 150 millions », etc.

Il existe des « sottisiers », des recueils de bourdes de ce genre relevées dans la presse et dans la littérature; leur lecture n'est pas inutile à qui veut s'instruire des pièges et des écueils du style.

STYLE ET ACCORD DU VERBE

• Prenez garde à l'accord du verbe. Certes, il n'offre pas, dans la plupart des cas, de difficultés particulières : « Labourage et pâturage *sont* les deux mamelles de la France. » Cependant, une construction correcte mais trompeuse de la phrase incite parfois à oublier le véritable sujet, surtout s'il est un peu éloigné, au profit d'un complément du même verbe ou du sujet d'un autre, ce qui conduit à un accord défectueux qu'il faut éviter à tout prix.

Exemple : « La distance qui nous sépare de ces époques lointaines et des conditions de vie qui régnaient alors nous les montr*ent* sous un jour qui nous abuse. » L'accord du verbe *montrer* est erroné ; en effet, le sujet de ce verbe est *distance*, qui est au singulier. Il faut donc : « ... nous les montr*e* sous un jour », etc.

Voici un autre exemple, puisé dans un quotidien : « La variété des fonctions et des conditions de vieillissement des individus *font* qu'aucune règle générale n'est satisfaisante. » L'auteur s'est laissé égarer par la succession des pluriels qui jalonnent la phrase. Le seul sujet du verbe *faire* est *variété*, substantif au singulier ; il faut donc : « La variété [...] *fait* qu'aucune règle », etc. Ou bien, si l'auteur préfère écrire *font,* il doit reconstruire ainsi sa phrase : « La variété des fonctions et *celle* des conditions [...] *font* qu'aucune règle », etc. Il y a ici deux sujets, tous deux au singulier (*variété* et *celle*), dont l'addition commande de mettre le verbe au pluriel.

Dans certains cas bien délimités, il est licite de mettre au singulier un verbe ayant plusieurs sujets tous également au singu-

lier, par exemple lorsque ceux-ci forment une gradation
(« Chaque vers, chaque mot *court* à l'événement »; Boileau, *Art
poétique*, III) ou lorsque leurs contenus respectifs se confondent
et se résument en une seule notion, en une seule entité. Exemple:
« La bienveillance, l'alacrité, l'amour du prochain constitue le
fond même de son caractère » (on considère que ces trois qualités n'en font qu'une chez l'individu qui les possède). À plus
forte raison si les sujets multiples représentent une seule et même
personne: « Ce ruffian, ce détraqué, ce misérable qui voulait
s'emparer du pouvoir... » (ici, ce serait une faute de mettre le
verbe au pluriel). Enfin, quand plusieurs infinitifs sont sujets
d'un même verbe, on peut accorder ce dernier au singulier ou au
pluriel selon que les actions ou les idées qu'ils expriment s'amal-
gament ou, au contraire, se différencient: « Gémir, pleurer, prier
est également lâche » (A. de Vigny, *les Destinées*, « La mort du
loup », III); « Travailler et se distraire *sont* également nécessaires
à l'homme. »

Les classiques employaient le verbe au singulier avec plusieurs
sujets eux-mêmes au singulier plus volontiers qu'on ne le fait de
nos jours. Exemple: « ... les secours mêmes de nos aumônes,
dont l'efficace et la vertu *fera* sur l'hérésie bien plus d'impression
que nos raisonnements et nos paroles ». Ce texte est de Bourdaloue (*Oraison funèbre du prince de Condé*, 10 décembre 1683); il
est cité par Sainte-Beuve dans l'une des *Causeries du lundi* qu'il
consacre au prédicateur, et le critique lui-même écrit: « Il
[Bourdaloue] eut un à-propos, une adresse, une justesse d'application qui *fit* que toutes ces passions en scène se reconnurent. »
Dans le cas de Sainte-Beuve, le verbe au singulier se justifie par
le fait que les trois qualités qu'il mentionne se recouvrent, se
superposent, pour n'en faire qu'une. Chez Bourdaloue, il y a
certainement une volonté d'auteur motivée par le souci d'unir
l'« efficace » et la « vertu » et de bien souligner qu'elles ne sont
pas séparables l'une de l'autre.

Autre exemple, puisé dans Buffon (*Hist. nat.*, « L'homme »):
« Une sagacité de génie et une profondeur d'émotion qui mér*ite*
des éloges. »

Pour conclure, disons que le verbe au singulier avec plusieurs
sujets (au singulier eux aussi) est une figure de style qui ne
s'applique qu'aux cas abstraits, et que l'esprit géométrique, qui a
gagné du terrain jusque dans le langage, en circonscrit étroitement l'usage. Il faut toujours mettre le verbe au pluriel quand les
sujets représentent des choses concrètes.

* * *

• Exemple de faute d'accord (dans un quotidien du soir):
« Le seul espoir de la population [cambodgienne] *sont* les Sérékas [dissidents]. » Impossible que le mot « espoir », singulier,
soit sujet d'un verbe au pluriel, « sont ». Il faut: « Le seul
espoir [...] *est* les Sérékas » ou: « Le seul espoir [...], *ce sont* les
Sérékas », car le pronom indéfini *ce* peut indifféremment être
singulier ou pluriel. L'auteur avait encore la ressource d'écrire:
« Le seul espoir [...] réside dans », etc.

• Nous renverrons, pour l'accord des participes, aux ouvrages de grammaire pure [1]: c'est une question qui ne touche pas
directement le style.

Rappelons cependant pour mémoire la règle impérative exi-
geant que le participe passé assorti de l'auxiliaire *avoir* s'accorde
avec son complément direct si celui-ci est placé avant, mais reste
invariable si ce complément le suit ou s'il n'y a pas de
complément.

_____

1. Voir, dans la même collection: *Savoir accorder le participe passé*,
par Maurice Grevisse.

Il n'en a pas toujours été ainsi. Ronsard, de nos jours, ne pourrait plus écrire:

> Mignonne, allons voir si la rose,
> Qui ce matin avait *déclose*
> Sa robe de pourpre au soleil...

et, s'il voulait à toute force maintenir sa rime, il lui faudrait modifier ainsi le vers:

> Dont ce matin *était* déclose...

en changeant d'auxiliaire (*être*) et de sujet (*robe*, et non plus *rose*); car depuis Ronsard la langue a évolué, et l'on dit: « J'ai ouv*ert* la fenêtre face à la porte que j'ai fer*mée*. » Cet exemple, bien qu'en marge du style proprement dit, montre la souplesse d'adaptation du français, puisqu'une simple retouche, effleurant à peine un vers, suffit à en moderniser la forme sans dommage pour la prosodie, sinon pour la perfection de l'harmonie.

DE LA CONCORDANCE DES TEMPS

Veillez à la concordance des temps, mais ne vous laissez pas terroriser par ce qui fut la tarte à la crème des magisters. Si vous êtes logique dans l'expression de votre pensée, vous risquerez peu d'être infidèle à la grammaire. Fort complexes mais fort souples, les règles de la concordance des temps sont plus difficiles à énoncer qu'à suivre, car c'est la spontanéité même de votre discours qui vous les suggérera à mesure. En la matière, il n'y a ni postulat ni dogme, mais, entre le verbe de la proposition principale et celui de la subordonnée, un ensemble de rapports de temps que la nécessité d'être clair conduit naturellement à respecter.

Nous ne saurions trop recommander de lire avec attention le chapitre consacré par Maurice Grevisse à la concordance des temps (*le Bon Usage*). Rappelant en note que, dans *la Pensée et la Langue*, Ferdinand Brunot écrivit: « Ce n'est pas le temps principal qui amène le temps de la subordonnée, c'est le sens. Le chapitre de la concordance des temps se résume en une ligne: il n'y en a pas », Maurice Grevisse montre dans son ouvrage qu'il ne saurait exister aucun automatisme de concordance entre les temps. Nous croyons devoir reproduire l'« Observation importante » où il a condensé une doctrine justement libérale:

« Il faut se garder d'appliquer sans discernement des règles mécaniques qui indiqueraient une correspondance toujours obligatoire entre le temps de la principale et celui de la subordonnée. Sans doute, dans bien des cas, une *concordance* s'établit, qui règle le temps de la subordonnée par rapport au temps du verbe principal, mais bien souvent aussi il faut tenir compte de certaines modalités de la pensée, et marquer, selon une syntaxe appropriée, le temps de la subordonnée par rapport au moment où l'on parle : ainsi, par *discordance* des temps, peuvent être rendues bien des nuances délicates. »

En effet, les règles générales se ramifient en dérogations particulières qui, loin d'altérer la langue et le style, les enrichissent.

Voici une phrase : « La J.S.B. Company *a déclaré* qu'elle *refuse* de verser des fonds à des programmes télévisés glorifiant la violence dans les mœurs. » Elle signifie que la J.S.B. s'y refuse en permanence. On pouvait certes écrire : *refusait* ; c'eût été excellent, car une concordance exacte eût été étroitement respectée. Mais peut-être a-t-on appréhendé qu'un temps passé tel que l'imparfait ne laissât planer un doute sur les intentions ou l'attitude de la compagnie aujourd'hui et dans l'avenir ; d'où le choix du présent dit « historique ». Le futur (*refusera*), le conditionnel (*refuserait*), auraient été corrects, mais équivoques quant à la date d'entrée en vigueur du refus. Avec *refuse*, aucune ambiguïté : la compagnie refusait déjà au moment où elle a fait sa déclaration, elle a continué à refuser depuis, elle refuse toujours.

Autre exemple : « Tu *as utilisé* toutes les enveloppes que je t'*ai données*. » Les deux verbes sont au même temps, le passé composé, ce qui ne permet de sentir aucun décalage, aucun recul, entre le moment où les enveloppes furent données et celui où elles furent utilisées. S'il ne s'est écoulé qu'un quart d'heure, la phrase est parfaitement acceptable ainsi. Mais, si deux mois se sont passés, mieux vaut écrire : « ... les enveloppes que je t'*avais données* » ; cette forme marque l'antériorité de l'action qu'exprime la proposition subordonnée par rapport à celle que décrit la principale.

Dans cette phrase: « M. Ibrahim *a précisé* que son gouvernement *va* rompre ses relations diplomatiques avec Taïwan » (*le Monde*, 16 avril 1977), une application rigoureuse de la règle générale exigerait *allait* au lieu de *va*. Mais on a dû à dessein adopter le présent du verbe *aller* (qui a ici valeur d'auxiliaire) pour insister sur l'imminence de la rupture envisagée.

Même l'emploi du subjonctif ne saurait être régi par un système immuable. En certains cas, il est obligatoire; par exemple, il faut dire et écrire: « Je veux *que tu viennes* » (et non: « que tu viens »), « Il est nécessaire *que tu apprennes* tes leçons » (et non: « que tu apprends »). Une construction négative ou dubitative entraîne le plus souvent l'emploi du subjonctif dans des phrases telles que: « Je ne crois pas *qu'il vienne* » (alors que le régime affirmatif l'exclut: « Je crois qu'il vient », ou « qu'il viendra »).

Mais fréquemment s'offre un choix qui répond à des nuances. Ainsi, on dira et l'on écrira: « Il semble que sa résolution *fléchisse* », ou: « ... que sa résolution *fléchit* », selon le degré de certitude qu'on attache à cette apparence. Avec le subjonctif, on émet une opinion dont on n'est pas vraiment sûr, on exprime plutôt une impression; avec l'indicatif présent, on s'engage plus avant dans l'affirmation. Le futur aussi entre en compétition pour traduire des nuances de pensée; par exemple, on dit: « Je crois qu'il *réussira* », et l'on doit en principe dire: « Je ne crois pas qu'il *réussisse* », mais « je ne crois pas qu'il *réussira* » ne peut être condamné, car le futur, s'il n'inclut pas le même doute explicite que le subjonctif, n'en comporte pas moins une part latente d'incertitude qui autorise son emploi avec « ne pas croire que ». De même, on écrirait: « Je ne sais pas s'il *réussira* » en parlant de quelqu'un qui va concourir à un examen, et: « Je ne sais pas s'il *réussit* » à propos d'un quidam qui s'est établi dans une fonction quelconque et de qui l'on est sans nouvelles. L'éventualité évoquée ne se place pas dans une vision identique.

Voici un autre cas où la concordance est fonction du coefficient de probabilité dont on entend affecter la phrase: « L'Europe des affaires est la seule qui *réussit* », ou: « qui *réussisse* ». Dans la première forme, on constate un succès; dans la seconde, on le reconnaît aussi, mais avec moins d'assurance pour l'avenir.

En ce qui concerne l'imparfait du subjonctif, on était autrefois très strict. Il fallait écrire: « Ils exigeaient que nous répétassions notre récit. » Cette concordance est toujours licite dans un style soutenu et pompeux, dans l'éloquence académique, voire dans un genre humoristique cultivant l'archaïsme. Mais on ne regarde plus comme une faute d'écrire: « Ils exigeaient que nous répétions »; si la rigueur y perd, l'euphonie y gagne. Cependant, on n'est plus tenu à cette concession lorsqu'il s'agit des personnes du temps plus agréables à l'oreille: « Il exigeait qu'on répétât » est à conseiller, surtout dans l'écrit, plutôt que: « … qu'on répète », forme laxiste qu'il vaut mieux réserver à la conversation.

L'usage de l'imparfait du subjonctif après le conditionnel présent non seulement n'est plus obligatoire, mais encore a pris un air désuet. « Il faudrait qu'on aille à Paris », « Je voudrais qu'il parte à l'instant », telle est la forme devenue courante, et non plus: « qu'on allât », « qu'il partît ». Des écrivains romantiques, en particulier, ont estimé qu'au présent du conditionnel dans la principale c'était le présent du subjonctif qui devait répondre dans la subordonnée, alors qu'au siècle précédent Choderlos de Laclos, par exemple, employait toujours l'imparfait.

Notez que celui-ci demeure préférable au présent dans une subordonnée dont la principale est à l'un quelconque des passés du conditionnel. La bonne concordance est ici: « J'aurais (ou j'eusse) voulu qu'il partît », « Il aurait (ou il eût) fallu qu'on allât à Paris ».

Mais, sous peine d'être taxé de pédanterie, on évitera, à moins d'intentions particulières, les formes heurtées, les finales en *asse, assions, assiez*. Rien n'illustre mieux leur décrépitude que les effets comiques qu'un auteur tel que Feydeau en a tirés dans *le Dindon*: « ARMANDINE. — Vous voudriez que nous caltassions? » (acte II); « VATELIN. — [...] J'aurais voulu que vous y assistassiez, à mes exploits d'hier soir! » (acte III).

Doit-on dire: « Il arrive que je l'aperçoive », ou: « ... que je l'aperçois »? Réponse: cela dépend du plus ou moins de hasard qu'on entend faire tenir dans l'expression « il arrive que ». Cette forme impersonnelle du verbe *arriver* au sens d'« advenir » permet de distinguer l'occasion rare et fortuite de celle qui est plus courante ou plus attendue. La Bruyère écrit: « S'il arrive que l'on plaise... » (*Caractères*, Notice; cité par Robert); et Hugo: « Il arrivait parfois, vers le soir, à la brune, — Que la mère et l'enfant se rencontraient. » (*Lég. des siècles*, LVII, IV, « Question sociale ».)

Espérer se construit généralement avec l'indicatif et le conditionnel, *souhaiter* avec le subjonctif: « j'espère qu'il vient », « ... qu'il viendra », « j'espérais qu'il viendrait »; « je souhaite qu'il vienne », « je souhaitais qu'il vînt ».

La concordance des temps ne contraint pas à une cascade ininterrompue des rapports. Dans la phrase de Camus (*la Peste*) citée par Grevisse: « Rieux n'était même pas sûr que ce fût lui qu'elle attendît », seul le premier subjonctif (*fût*) est obligatoire, le second (*attendît*) est facultatif; l'indicatif pouvait aussi bien faire l'affaire, et Camus n'aurait commis aucune incorrection en écrivant: « ... n'était même pas sûr que ce fût lui qu'elle attendait ».

On peut résumer cet article sur la concordance — ou la discordance — des temps en soulignant qu'elle ne constitue pas une
technique rigide, mais qu'elle apporte au style un complément
d'élégance en même temps qu'elle contribue à son équilibre et à
sa clarté. C'est en pratiquant sa langue qu'on maîtrisera le choix
du temps pour chacun des verbes dans leurs propositions
respectives.

LANGAGES À LA MODE,
SNOBISMES ET PRÉCIOSITÉS

La Bruyère, dans ses *Caractères* (chap. V, « De la Société et de la Conversation »), a raillé les précieux ridicules, dont Acis est le type: « [...] Je devine enfin: vous voulez, Acis, me dire qu'il fait froid: que ne disiez-vous: " Il fait froid "? [...] Est-ce un si grand mal d'être entendu quand on parle, et de parler comme tout le monde? »

Pour échapper à une prétendue banalité du langage, on a vu — en toutes époques — des « novateurs », « innovateurs », « créateurs », lancer de « précieux » néologismes, des expressions et figures recherchées, compliquées — ou tout simplement ridicules! Des métaphores entortillées qu'adoraient les Précieuses de la seconde génération (après 1650) à l'apparition, au XIXᵉ siècle, de ce qu'Étiemble baptisera cent ans plus tard « franglais » (*Parlez-vous franglais?*, Gallimard, « Idées », 1964), du parler emberlificoté des nouveaux gandins contemporains de Marie-Chantal à l'« hexagonal » recensé par Robert Beauvais (*l'Hexagonal tel qu'on le parle*, Hachette) ou au style superlatif — relevé notamment à l'écoute de certains « meneurs de jeu » ou *disc-jockeys* (*sic*) de stations radiophoniques — caractéristique d'une indigence lexicale navrante (tout est « super », « sensass », « super-terrible », etc.): la clarté, la simplicité, le bon goût, la concision, sont sacrifiés au pédantisme, à la complication, à l'obscurité, à la confusion terminologique...

Détestable quand elle détonne, la préciosité peut, bien maniée, être un élément d'art. Julien Teppe, auteur des *Caprices du langage* (édit. Le Pavillon Roger Maria, 1970), aimait les mots rares ou archaïques: *spicilège* (recueil de morceaux choisis), *bonnetade* (coup de chapeau, salut), *prépolence* (supériorité), etc., ainsi que des formes hardies comme *ayant-il.*

Antoine Baudeau de Somaize, auteur du *Dictionnaire des Précieuses* (titre exact: *le Grand Dictionnaire des Prétieuses ou la clef de la langue des ruelles* [1], Paris, 1660) et du *Grand Dictionnaire des précieuses* [...] (Paris, 1661), a confondu précieuses raffinées et précieuses ridicules. Le premier style précieux était une réaction contre la grossièreté des mœurs, la vulgarité du langage. En effet, la cour, sous Henri IV, avait pris des allures de corps de garde. La politesse, la culture, l'érudition, le raffinement, le romanesque, inspiraient alors ceux qui fréquentaient hôtels et salons, et qui rivalisaient dans les divertissements de l'esprit. L'hôtel de Rambouillet fut le centre de la mode littéraire et de la bienséance. Voiture, bel esprit en vogue, était l'« âme du rond ». Dans une lettre à Guez de Balzac — autre bel esprit, — Chapelain déclare à propos de l'hôtel de Rambouillet, en 1638: « On n'y parle point savamment, mais on y parle raisonnablement, et il n'y a lieu au monde où il y ait plus de bon sens et moins de pédanterie. »
La recherche d'un vocabulaire plus étendu par la création de néologismes heureux, la précision du sens de certains termes ou expressions, l'emploi de figures de style variées, le goût de l'éru-

---

1. « La chambre à coucher étoit le lieu où l'on recevait le plus ordinairement. [...] Le lit [...] laissoit de chacun de ses côtés deux espaces égaux, dont l'un formoit le devant du lit, l'autre la ruelle. » (Ch.-L. Livet, « Préface » de la réédition du *Dictionnaire des Précieuses*, Paris, 1856.)

dition, sont à mettre au crédit des « précieuses galantes ». Las!
Alors que les habitués des salons entendaient se distinguer par
les qualités du cœur, les bonnes manières et l'esprit, la seconde
génération de précieux se caractérise par ses manières pédantes.
Un seul but : briller dans le monde — par la conversation ou par
l'écriture, et aussi l'excentricité du costume.

Par dégoût de la vulgarité et de la bassesse, on rejette alors le
naturel. Par refus de la grossièreté, on en vient à supprimer de la
langue les « syllabes sales ». Pour se singulariser, on met à la
mode (déjà!) le superlatif, sous forme d'adverbe : *furieusement,
terriblement*, etc. Au nom de la bienséance, et aussi par une sorte
de négation du réel, on multiplie les périphrases, les métaphores,
les euphémismes, pour désigner des objets qui pourraient évo-
quer des images « déshonnêtes », « sales », « populaires »...
Cette affectation du langage en vint à diviser durablement les
mots en termes nobles et en mots « bas ». C'est Victor Hugo qui,
deux siècles plus tard, constatera qu'avant 1789 « les mots, bien
ou mal nés, vivaient parqués en castes » et s'élèvera, dans un
vibrant plaidoyer, en faveur des « gueux », des « drôles patibu-
laires », des « Vilains, rustres, croquants que Vaugelas leur chef
— Dans le bagne Lexique avait marqués d'une F [1] ». (*Les
Contemplations*, I, VII, « Réponse à un acte d'accusation ».)

Somaize nous rapporte quel était le langage ridicule de ces
précieuses en cette seconde moitié du XVIIe siècle :

L'*espérance* était la « mère des vanités »; un *laquais* était (gra-
cieusement, sans doute!) dénommé aussi bien « nécessaire »
qu'« inutile »; une *table*, l'« universelle commodité »; les *sièges*,
les « commodités de la conversation »; les *poissons*, les « habi-
tan[t]s du royaume de Neptune »; *nager*, « visiter les Nayades »;
une *fenêtre*, la « porte du jour », etc.

---

1. La lettre F était la marque apposée sur les forçats.

Molière n'a point épargné ces pédantes — Magdelon et
Cathos dans *les Précieuses ridicules* — ou ces « femmes savan-
tes »: Philaminte, Armande et Bélise. Si Magdelon reprend la
servante Marotte, qui annonçait simplement (I, VI): « Voilà un
laquais qui demande si vous êtes au logis, et dit que son maître
vous veut venir voir », en lui répliquant: « Apprenez, sotte, à
vous énoncer moins vulgairement. Dites: " Voilà un nécessaire
qui demande si vous êtes en commodité d'être visibles " »,
Chrysale (mari de Philaminte) remet les bas-bleus à leur place en
dénonçant la nébulosité du parler précieux:

> Tous les propos qu'il [Trissotin] tient sont des billevesées;
> On cherche ce qu'il dit après qu'il a parlé.

Nous devons toutefois aux précieuses des expressions moins
affétées, notées par Somaize ou par Bary: « s'encanailler »,
« châtier son style », un « tour d'esprit », « faire des avances »,
« rire d'intelligence avec », « jouer à coup sûr », « s'embarquer
en une mauvaise affaire », etc. Ces tours moins emberlificotés
ont été ratifiés par l'usage, et ont enrichi la langue.

Les me(r)veilleuses et les inc(r)oyables sont un avatar des précieux. Cette réaction de la « jeunesse dorée », après la Terreur,
n'a pas laissé de grandes traces dans la vie du langage!

Les termes anglais furent mis à la mode, dès 1830-1840, par
les ... *dandies* ou dandys (« Le dandysme est une affectation de la
mode », Balzac, *Vie élégante*, 1853). Le *comfort* (puis « con-
fort »), les *pickles*, la *performance*, les *tracts*, le *crack*, les *checks*
(francisés en « chèques »), le *canter*, le *cake* et le *terminus*, adop-
tés entre autres vocables par la... *gentry* française, émaillèrent de
leur « exotisme » les romans de l'époque.

En étudiant la correspondance de Victor Hugo, plus précisé-
ment les lettres écrites entre avril 1860 et avril 1865, alors qu'il
était en exil et installé à Hauteville-House, nous avons remarqué
la rareté des mots anglais. Certes, à l'époque où Hugo séjournait

aux îles Anglo-Normandes, l'anglais ne s'y était pas encore souverainement imposé, et l'on y parlait français couramment. Le grand écrivain aurait cependant pu subir l'influence du parler britannique, qui tendait à supplanter la langue française. Les *seuls* mots anglais apparaissant de temps en temps dans cette correspondance sont *in haste* (« en hâte » — l'expression française est assez souvent employée par le poète, de nombreuses lettres se rapportant à l'envoi ou à la réception d'épreuves, d'un « bon à tirer »; les professionnels du livre et de l'édition ne seront donc pas étonnés de l'usage plutôt fréquent de la formule précitée!).

Une curiosité: à propos d'erreurs répétées dans l'envoi d'épreuves de gravures sur bois (novembre 1862), V. H. utilise le mot anglais *mistake* (« erreur ») dans une lettre à l'imprimeur parisien Claye. Or Esnault (*Dictionnaire des argots*, Larousse) donne au mot *mastic* — en son sens argotique (typographes) usité encore par les imprimeurs comme synonyme d'« inversion de lignes dans une composition typographique », de « mélange d'alinéas » — la datation lexicographique: 1867. Aucune étymologie n'est proposée... Les imprimeurs parisiens n'auraient-ils pas fait le rapprochement entre *mistake* et « mélange » d'épreuves, puis, par paronymie, l'assimilation *mistake*/mastic?

L'« hexagonal » se caractérise par un manque de concision, l'emploi d'un jargon technocratique, scientifico-administratif. De simplicité, point. Ainsi: « *Dans sa vérité ontologique, il m'agrée* », nous signale Robert Beauvais, remplace le banal « Tel qu'il est, il me plaît ». La fade expression « C'est par la démocratie que le pays sera sauvé », qui présente le défaut d'être compréhensible par tout un chacun, est remplacée par: « *Il faut s'institutionnaliser démocratiquement pour résoudre la problématique nationale.* »

Robert Beauvais, toujours dans son *Hexagonal tel qu'on le parle*, nous donne une traduction désopilante du *Cid* en « hexagonal courant ». Un don Diègue technocrate au possible s'exclame douloureusement, en prose : « *Ô stress! Ô break-down! Ô sénescence aliénante! N'ai-je donc tant vécu que pour cette perturbation culpabilisante! Et n'ai-je donc perduré dans une escalade promotionnelle à vocation martiale que pour déboucher sur l'instantanéité de ce retour au degré zéro de l'investiture!* » Le pauvre Corneille, qui serait probablement indigné à la lecture de ce dialecte abstrus, ne pourrait que s'écrier, douloureusement lui aussi : « Ô rage! ô désespoir! »

Jean Thévenot, dans son pamphlet *Hé! La France, ton français fout le camp!* [1], raille avec esprit, à son tour, la « jargoncratie ». Et de citer quelques mots à la mode : *avoir vocation, faire problème, « fourchette », créneau, actuariel, passéiste, positionner, symposium, connotation, ludique, au niveau de, design, prestation, performant, sécurisant*, etc.

Avec *le Français kiskose* [2], R. Beauvais s'attaque aux « langages sectoriels », ces jargons, argots, néologismes, propres à certains initiés, à certains milieux (monde politique, technocrates, scientifiques, métiers, etc.), et qui demeurent de... l'hébreu pour les non-initiés. Dans cette « francophonie », R. Beauvais « distingue » — entre autres — le « kiskose politique », caractérisé par l'« hexagonalisation lénifiante » (J. Thévenot rapporte [3] la jubilation du même Robert Beauvais lui disant qu'il venait d'entendre un ministre des finances annoncer une « décélération de l'allégement des charges fiscales » — en langage clair : une augmentation des impôts!) et par un verbiage aussi prétentieux que superflu. Ainsi, Louis XIV hexagonal n'aurait pas, de nos jours, annoncé brutalement et simplement : « L'État, c'est moi! » R. Beauvais l'imagine déclarant : « Il y a identification fonda-

---

1. Duculot édit., 1976.
2. Fayard édit., 1975.
3. *Op. cit.*

mentale entre le concept étatique et la fonction présidentielle. »
Nombre de ces « kiskoses » relèvent plutôt du langage populaire,
de l'argot, et influencent défavorablement le « kissécrit ». Nous
reviendrons sur ces problèmes dans notre chapitre « Langage
parlé, langue écrite ».

S'exprimer clairement, avec naturel, ne suffit pas aux adeptes
de l'« hexagonal ». Il semble de la suprême élégance — à moins
que ce ne soit pour paraître cultivé — d'employer des périphrases bouffies, de pratiquer à longueur de phrases le style euphémique (que de : « Ce n'est pas inintéressant », alors que des formules plus directes en diraient tout autant, et mieux !).

Comment ne pas dénoncer aussi le recours infantile — adopté
par les moyens d'information (les... *mass media* [*sic*]), principalement radio et télévision — aux superlatifs : préfixes utilisés en
interjections, nous dirions presque en onomatopées, ou adjectifs... quand les deux ne sont pas associés. Le moindre événement étant qualifié de « fabuleux », le plus infime propos cata-
logué « génial » ou « terrible », le plus médiocre 45 tours de la
semaine jugé « extra » ou « super », ces termes excessifs se trouvent rapidement dépassés, usés. On a alors recours aux composés : « super-terrible », « hyper-divin », « sur-fantastique », et
autres « trouvailles » de la même eau. Le ridicule semblant, en
l'occurrence, avoir des limites, les z'auditeurs-téléspectateurs
échappent encore à des multi-composés : « super-hyper-
sensass' », « hyper-fab'-génial ».

Nous rappellerons que la langue française est riche en synonymes, que ceux-ci suivent une progression nuancée, subtile. L'abus,
l'exagération, l'excès dans le choix des mots reviennent à appauvrir
le discours, à se priver d'une palette de nuances. À parvenir si tôt
aux extrêmes, au sommet, on renonce à l'emploi de degrés, de
paliers, de niveaux de signification propres à traduire avec justesse
et exactitude la pensée. Une plus grande conscience de l'échelle
des valeurs permet d'éviter de tomber dans ce travers grotesque.

La langue française est une langue vivante, en continuelle évolution. Les acceptions de certains mots se modifient, ou bien de nouvelles viennent s'ajouter à celles existantes. Cela est tout à fait normal, et nous ne suivrons pas certains puristes qui refusent toute innovation. Une langue n'est-elle pas constituée de mots qui, obligatoirement, auront été des néologismes lors de leur introduction?

Cela ne justifie pas cependant une « néologite aiguë », le besoin de créer des mots sophistiqués destinés à remplacer des termes bien en place, simples et clairs. Ces « mots dans le vent », néologismes ou vocables dont on modifie le sens, sont alors bien en cour, et en vedette. Chacun s'en gargarise, et, par l'effet amplificateur de la vogue, on les met à toutes les sauces, mercenaires au service de disciplines variées, de jargons scientifico-techniques, d'argots du commerce, de l'économie, de la technocratie... Nous avons abordé ce problème dans notre petit guide pratique *Pièges du langage 1* [1]. On n'étudie plus un dossier, on n'apprécie plus une situation, on se doit de les « appréhender »; on ne travaille plus qu'en « panel » ou en « séminaire », finis les conférences, les séances de travail, les groupes d'étude et autres banales réunions!

Avoir recours sans cesse à ces mots à la mode peut déprécier nos textes quand ceux-ci (lettres, manuscrits d'auteur...) doivent tout particulièrement refléter un style personnel.

Si la prétention de paraître cultivé, savant, entraîne la regrettable manie de forger des tournures pédantes, d'utiliser des mots ésotériques et snobs, les « Hexagonaux » ressentent aussi une puérile fascination pour les mots « exotiques » — presque exclusivement des termes empruntés à l'anglais. Foin des bottillons,

---

1. « Votre boîte à outils de la langue française », Duculot, 1978.

on ne porte plus que des *boots*! Les athlètes, au dire des journalistes sportifs, sont au *top niveau* (expression typiquement « franglaise ») — et non dans leur meilleure condition physique. L'influence de l'anglais, généralement plus bref que le français, impose un style transitif abusif: « L'A.S. Saint-Étienne a joué [contre (le)] Dukla de Prague. » Ce vernis superficiel de « kiskose babélien » est à proscrire absolument du style écrit, et d'une langue que l'on veut correcte.

Il serait stupide de vouloir chasser du vocabulaire français des vocables britanniques depuis longtemps acceptés, intégrés, ratifiés par l'usage. Mais il faut s'élever avec vigueur contre l'« anglo-manie » virulente qui s'est emparée du secteur de la publicité (certaines offres d'emploi publiées dans la presse française, et s'adressant à des « demandeurs, ou chercheurs, d'emploi » [euphémisme « hexagonal » pour: chômeurs] français sont rédigées en... anglais). Cet anglais, ce « franglais », s'impose également par trop dans l'industrie, l'informatique, les médias, etc.

De brillants chercheurs ont, ces dernières décennies, donné à la linguistique un nouvel essor. Les écoles linguistiques telles que le structuralisme, le distributionnalisme, la glossématique, etc., possédant chacune un vocabulaire propre, chaque spécialiste proposant de nouveaux mots, on a abouti à une grande prolifération de néologismes le plus souvent fort savants et abstraits. La linguistique étant à la mode, la terminologie propre à cette discipline a envahi l'« hexagonal » et y a imposé le « kiskose linguistico-culturel ». Plus de débat littéraire où n'émergent l'*actant*, l'*analysabilité*, la *brévité*, le *locuteur, topique,* les *syntagmes*, et autres *sèmes* et *paradigmes.*

Ces termes appartiennent au vocabulaire de la linguistique, vocabulaire à haut niveau de technicité. Si l'on veut être compris de la personne à laquelle, ou pour laquelle, on écrit, il convient d'écarter de notre prose, là encore, des termes empruntés à un « kiskose » très spécialisé.

La linguistique est l'exemple même d'une discipline dont les professionnels semblent prendre un certain plaisir à sophistiquer le jargon, alors qu'elle devrait être le dernier bastion de la clarté. Jean Thévenot (*op. cit.*) déclare avec justesse : « Mais, est-il sûr que même les professions où commandent les techniques les plus spécialisées exigent un ésotérisme absolu ? Parfois, on dirait qu'il est délibérément poussé au-delà du nécessaire et de l'inéluctable, comme pour affirmer une originalité ou une supériorité et pour protéger un esprit de clan. »

Il convient aussi de se méfier des « assonances » à la mode, et de traquer sans merci les abus de mots se terminant par les mêmes syllabes-« scies ». R. Beauvais et J. Thévenot ont, avant nous, dénoncé l'emploi excessif des adjectifs en « el » (actuariel, événementiel, optionnel, situationnel, observationnel, transformationnel...); des verbes en « er » — à de rares exceptions près, celle d'alunir [1] par exemple, les verbes-néologismes appartiennent au premier groupe, sans doute à cause de leur conjugaison plus aisée (densifier, sécuriser, robotiser, victimiser...); des substantifs en « isme », qu'il est de bon ton, semble-t-il, de prononcer « izme », car cela doit paraître plus élégant (et plus proche de l'anglo-américain) à nos modernes Vadius (situationnisme, triomphalisme, élitarisme, élitisme...) ou en « ité » (permissivité, pénibilité, dénuisibilité, scientificité...).

---

1. Selon Robert, *alunir* est antérieur à 1930 et Maurice Rat l'a décelé chez Paul Reboux, dans *Patapon*. Le verbe est bien formé, mais il n'était peut-être pas nécessaire. *Atterrir*, qui a servi de modèle, ne signifie pas : prendre contact avec la Terre (la planète), mais avec la terre (le sol), comme *amerrir* se poser sur la mer. On peut donc dire fort correctement : atterrir sur la Lune. Si une sonde atterrit sur Mars, on ne dira pas qu'elle a « amarsi », et, le jour où un engin touchera Arcturus, Bételgeuse ou simplement Jupiter, créera-t-on un néologisme verbal monstrueux pour désigner sa rencontre avec un de ces astres ? Mais le débat est peut-être dépassé...

Les précieux du XVIIe siècle avaient, avec plus ou moins de bonheur, avec plus ou moins d'ingéniosité et d'esprit, cherché à renouveler le style. Leurs efforts donnèrent naissance au style *figuré,* c'est-à-dire celui où abondent ce que nous appellerons, par souci de clarté et de simplicité, les « figures ». Celles-ci vont être étudiées maintenant pour les lecteurs désirant accomplir des travaux littéraires, ou simplement donner à leurs écrits — mais cela sans excès! — plus de force, de personnalité, de variété, d'élégance, de vivacité, ou encore voulant rompre la monotonie du discours.

LES « FIGURES »

On appelle « figures », ou « figures de style », en littérature, des façons d'écrire qui s'écartent des règles de la construction grammaticale (« figures de grammaire » ou « figures de construction »), qui attribuent à des mots des sens figurés ou détournés (« figures de mots », tropes), ou bien des procédés qui, sans modifier le sens des mots, permettent d'exprimer avec plus de richesse les nuances, les degrés, de la pensée (« figures de pensée [ou de pensées, selon les auteurs], de passion, d'imagination, de raisonnement... ») :

« [...] *Il en est de même de l'écrivain : il faut que l'expression anime, pour ainsi dire, sa pensée. C'est peu d'être clair et d'observer la liaison des idées pour parler à l'esprit, il faut qu'il parle à l'âme, qu'il la pénètre des sentiments dont il est lui-même pénétré. Il supprimera plusieurs mots qui rallentiroient la vivacité du sentiment, et éteindroient le feu de l'imagination ; il sacrifiera la clarté au trouble des passions ; il répétera les expressions qui peignent les idées dont il est le plus occupé ; il exagérera les petites choses et diminuera les grandes ; il prendra le tout pour la partie, la partie pour le tout, le signe pour la chose signifiée ; il donnera un corps aux objets intellectuels : au lieu de faire connoître un objet par son nom, il ne le fera connoître que par ses accessoires ou par des comparaisons »*, etc. (*Grammaire françoise, analytique et littéraire* [...], F. Collin-d'Ambly ; Ch. Villet, 2ᵉ édit., 1809.)

Pierre Larousse, dans sa *Grammaire supérieure troisième année* (Larousse, 30ᵉ édit., 1932), explique que si « la grammaire est l'art de s'exprimer *correctement* » la rhétorique [étude des trois composantes essentielles du discours, principalement de l'*elocutio*: choix et disposition des mots] est l'« art de bien dire ». « La première habille la phrase décemment; la seconde lui prête des ornements qui se distinguent par le goût et l'élégance. »

Ainsi que l'écrit excellemment Pierre Guiraud dans *la Sémantique* (Presses universitaires de France, coll. « Que sais-je? »), « il y a eu de tous temps hésitation dans la définition, le classement et la terminologie » des « figures ». Le développement récent de la linguistique et l'adoption par chaque sémanticien ou grammairien d'une terminologie toute personnelle ne facilitent pas notre tâche.

Nous ne suivrons pas, dans le cadre de cet ouvrage qui se veut pratique et destiné à un large public de lecteurs, certains classements contemporains, qui font apparaître un grand nombre de catégories de « figures »:

- « figures » de pensée — *a*) par « imagination »; *b*) par « raisonnement »; *c*) par « développement »;
- « figures » de construction — *a*) par « révolution »; *b*) par « exubérance »; *c*) par « sous-entendu »;
- « figures » de signification, ou tropes;
- « figures » d'expression — *a*) par « fiction »; *b*) par « réflexion »;
- « figures » de diction;
- « figures » d'élocution — *a*) par « extension »; *b*) par « déduction »; *c*) par « liaison »; *d*) par « consonance »;
- « figures » de style — *a*) par « emphase »; *b*) par « imitation »; *c*) par « rapprochement »; *d*) par « tour de phrase ».

Nous avons préféré, ici, adopter un classement simple et traiter en premier lieu les grandes catégories de « figures », ce qui ne nous empêchera pas de mentionner ultérieurement un certain nombre de noms (savants) de « figures », voire d'étudier quelques procédés de style intéressants, telle l'allitération.

A. — « *Figures de construction* » *ou de* « *grammaire* » [*dites aussi de* « *syntaxe* »].

Pierre Larousse considérait les « figures de construction » comme une des deux composantes, avec les tropes, des « figures de mots ». Cela n'est pas notre avis, et nous suivrons plutôt le classement de grammairiens tels que Larive et Fleury ou Pierre Guiraud. P. Larousse cite en tant que « figures de construction » : l'*ellipse*, le *pléonasme*, l'*hyperbate* [ou : inversion], la *syllepse*, la *conversion* ou *régression*, la *répétition* et l'*opposition*. Pierre Guiraud, à ces noms, ajoute le *zeugma*, la *conjonction*, la *disjonction* et l'*attraction* (*la Stylistique*, « Que sais-je ? », P.U.F.). Rejoignant cependant en partie le classement de P. Larousse, Larive et Fleury classent la *répétition*, la *conjonction* et la *disjonction* dans les « figures de mots » (*la Troisième Année de grammaire* [livre du maître], Armand Colin, 1939).

Pour Gustave Lanson, « les " figures de construction " sont des incorrections plus ou moins fortes : comme elles se rencontrent assez souvent chez les grands écrivains, on les a décorées de noms savants qui les voilent ou même les proposent à l'admiration : syllepse, ellipse, pléonasme, etc. » (*Principes de composition et de style*, Hachette, 1898.) C'est aller trop loin et vouloir méconnaître que beaucoup de littérateurs importants ont commis ces « incorrections » en connaissance de cause, et de propos délibéré. Ainsi l'on peut dire que la *syllepse* confère à une phrase une certaine finesse, que l'*ellipse* apporte plus de vivacité, que le *pléonasme* communique plus de vigueur à l'expression...

• La *syllepse* est une « figure » qui consiste à accorder les mots, en genre et en nombre, d'après le sens dominant de la phrase, et non d'après les rapports grammaticaux. C'est sans doute la plus critiquable des « figures de construction », certainement la plus malaisée à bien utiliser sans nuire à la clarté du texte. P. Larousse a raison de noter que c'est « une figure qui exige une connaissance approfondie de la langue, et dont il ne faut user qu'avec la plus grande réserve. Beaucoup d'écrivains en abusent à leur insu, et, quand on leur fait remarquer certains rapports de mots que n'accepte pas la grammaire, ils répondent invariablement : c'est une syllepse. Ce mot est presque passé en proverbe ».

Gardons-nous donc d'abuser de la syllepse. Ce que les critiques tiendraient peut-être pour une volonté d'auteur et une figure de style chez de « grands écrivains » serait, dans notre prose, qualifié par eux de « solécisme », c'est-à-dire considéré comme une faute de « construction ».

De nombreux ouvrages de grammaire citent comme exemple de syllepse ces vers de Racine (*Athalie*, IV, III) :

> Entre *le pauvre* et vous, vous prendrez Dieu pour juge,
> Vous souvenant, mon fils, que, caché sous ce lin,
> Comme *eux* vous fûtes pauvre, et comme *eux* orphelin.

Eux ne se rapporte à aucun mot exprimé ; seul apparaît « le pauvre », expression qui évoque l'ensemble des « pauvres » — mot au pluriel sous-entendu avec lequel Racine a fait accorder le pronom personnel.

Autres exemples de *syllepse* : « Tes yeux ne sont-ils pas *tous* pleins de sa splendeur ? » (Racine) ; « Des choses *toutes* opposées » (La Bruyère).

En ces deux exemples anachroniques, cités par Remy de Gourmont dans *la Langue française et les grammairiens*, XVII (où il critique la circulaire grammaticale du 31 juillet 1900, qui devait nourrir l'arrêté ministériel du 26 février 1901), *tout* est accordé, bien qu'adverbe. Dans les deux cas, l'usage aujourd'hui le ferait invariable.

Lorsqu'un terme est pris, dans une même phrase, au propre et au figuré, cette « figure » reçoit également le nom de *syllepse* : « Galatée est pour Corydon plus douce que le miel du mont Hyda. »

• L'*ellipse* (du grec *elleipsis*, « manque ») est une « figure de grammaire » obtenue par l'omission, la non-expression, de certains éléments d'une phrase — il s'agit souvent du verbe. Cette « figure » renforce le texte en l'abrégeant. Il est significatif qu'elle soit fréquente dans les proverbes et les dictons. Le style dit « télégraphique » regorge d'ellipses (« Partirons demain à l'aube » : ellipse du sujet *nous*).

Dans les exemples ci-après, nous indiquons entre crochets les termes qui devraient apparaître si l'on avait choisi de faire figurer tous les éléments :

— « L'un était très riche, l'autre [était] fort pauvre. »

— « Paul acheta le pain, Pierre [acheta] le jambon, et Jacques [acheta] le café. »

— « [Viens] Dans mes bras, ma fille ! »

— « Une fois [arrivé] à Melbourne, tu chercheras le quartier de Preston. »

Pour qu'une ellipse soit de « bon aloi » — comme dirait Jacques Capellovici, — il ne faut pas que la suppression des mots introduise une équivoque, rende la phrase confuse. Ainsi, F. Collin-d'Ambly [1] note que Racine fut critiqué pour un vers

---

1. *Op. cit.*

[trop] elliptique: « Je t'aimais inconstant; qu'eussé-je fait fidèle? » [C'est-à-dire: si *tu* avais été fidèle, et non pas: si *je* t'avais été fidèle.]

Dans l'exemple cité par Pierre Larousse: « Le crime fait la honte et non pas l'échafaud », il faut comprendre, bien sûr, que *l'échafaud ne fait pas la honte* — et non pas que le crime fait la honte, mais ne conduit nullement à l'échafaud!

• L'*inversion*, ou *hyperbate*, réside dans le non-respect de l'ordre des mots, ou de l'ordre des propositions, tel que l'exige le rang attribué dans la syntaxe:
   1) sujet/verbe/complément;
   2) proposition principale/propositions subordonnées.

Cette modification de l'ordre strict rompt la monotonie d'un texte, peut même apporter grâce et élégance.
Exemples:
   — « De figures sans nombre égayez votre ouvrage » (Boileau).
   — « Ainsi de la Fortune les caprices sont étonnants. »
   — « Quand la foule l'applaudissait, il se répandait en courbettes. »

L'inversion — fort utilisée en poésie — est recommandée lorsqu'elle interrompt l'uniformité du discours, lorsqu'elle produit force et harmonie. En revanche, elle est condamnable lorsqu'elle devient un procédé systématique, maladroit. N'imitons pas le maître de philosophie du *Bourgeois gentilhomme*, qui suggère à M. Jourdain des tournures bien emberlificotées: *D'amour mourir me font, belle marquise, vos beaux yeux*, ou bien: *Vos yeux beaux d'amour me font, belle marquise, mourir…*

• Le *pléonasme* (du grec *pléos*, « abondant », d'où *pléonasmos*, « surabondance ») consiste en l'emploi de termes répétant la même idée sans que ce soit nécessaire à son expression. Le plus souvent, le pléonasme (nommé aussi, en linguistique : « transformation pléonastique ») n'est pas autre chose qu'un solécisme, un « barbarisme de syntaxe ». Il n'est admissible que lorsqu'il apporte plus de vigueur, plus d'énergie, à la pensée. Les pléonasmes « vicieux » sont des fautes fondamentales du langage — nous leur avons consacré un chapitre de notre guide pratique des *Pièges du langage*, paru dans la même collection (Duculot, 1978). Des expressions comme « s'entraider mutuellement les uns les autres », « panacée universelle », « voler dans l'air », etc., sont à proscrire absolument, car ce sont de grossières fautes de langage. Dans ces exemples, on peut sans dommage retrancher des mots superflus.

En revanche, le *pléonasme* est une « figure » parfaitement licite lorsque — un peu comme la répétition — on l'emploie pour insister, pour renforcer. Le pléonasme est toléré, notons-le aussi, dans certaines expressions consacrées par l'usage (ainsi : « en lieu et place de »). Ce pléonasme « littéraire » est illustré par un exemple tiré de Molière (*le Tartuffe*, V, III), et souvent cité par les grammairiens :

> Je l'ai *vu*, dis-je, *vu*, *de mes propres yeux vu*,
> Ce qu'on appelle *vu*;

Hugo affectionnait l'expression l'*ombre obscure*, qu'il savait pléonastique mais jugeait saisissante.

Le terme de « *périssologie* » s'applique à tout pléonasme fautif : « secousse sismique », « hémorragie de sang » (dire : « secousse tellurique », ou : « phénomène sismique » — « hémorragie » tout court, ou : « perte de sang »), ainsi qu'à des répétitions d'idées, procédé dont Massillon usa et abusa.

• Après ces quatre importantes « figures de grammaire », nous allons étudier le chiasme, négligé, semble-t-il, par nos grammairiens. Le *chiasme* (du grec *khiasma, khiasmos,* « croisement ») est un procédé stylistique qui consiste en une inversion de l'ordre des termes dans deux phrases constituant un parallèle ou formant une antithèse. En modifiant ainsi la syntaxe du texte, celui qui écrit brise l'éventuelle monotonie du discours. On trouve dans Corneille (*le Cid,* III, IV) un bon exemple de *chiasme* :

> Elle a *vengé ton père* et *soutenu ta gloire* :
> Même soin me regarde, et j'ai, pour m'affliger,
> *Ma gloire à soutenir,* et *mon père à venger.*

Le procédé se retrouve dans Molière (*l'Avare*) : « Il faut *manger* pour *vivre,* et non *vivre* pour *manger* », et chez Hugo : « Un roi *chantait en bas, en haut mourait* un Dieu. »

• La *conversion* ou *régression,* telle qu'elle est présentée par P. Larousse, semble bien être un avatar du *chiasme,* pour ne pas dire l'équivalent. En effet, le lexicologue classe sous cette « figure » l'exemple pris dans *l'Avare.* La *régression* réside dans le fait de reprendre les *mêmes mots* (ou mots de la même famille), symétriquement ; en conséquence, l'exemple reproduit ci-dessus d'après Hugo est bien un *chiasme* de par le procédé suivi, mais ne peut être classé dans les régressions, puisque le poète n'a pas employé les *mêmes* mots ou des mots appartenant à la *même* famille. En revanche, les vers susmentionnés extraits d'une tirade de Chimène, la sentence d'Harpagon et l'exemple que voici sont à la fois *chiasmes* et *régressions* :

> Pauvre Didon, où t'a réduite
> De tes maris le triste sort !
> *L'un en mourant cause ta fuite* ;
> *L'autre en fuyant cause ta mort.*

• La *répétition* est une « figure » qui consiste à utiliser plusieurs fois un mot ou une expression pour communiquer plus d'énergie au discours, pour exprimer avec vigueur un sentiment, une passion, pour renforcer une affirmation, un plaidoyer, etc.

La scène des « imprécations » de Camille (*Horace*, IV, v) nous fournit un superbe exemple de répétition :

> *Rome*, l'unique objet de mon ressentiment !
> *Rome*, à qui vient ton bras d'immoler mon amant !
> *Rome*, qui t'a vu naître et que ton cœur adore !
> *Rome*, enfin, que je hais parce qu'elle t'honore !

• L'*apposition* désigne la « figure » où un nom est utilisé comme épithète. Cette tournure de phrase allège le style en apportant une appréciable concision : « La paysanne, virago à la voix de mêlé-cass, prit place sur le banc. »

• La *conjonction* réside dans le tour particulier que confère à la phrase la reprise de la conjonction *et* devant des mots ayant la même fonction grammaticale : « On vit alors débarquer de l'arche *et* le lion *et* le chat *et* le rat. »

• La *disjonction* repose sur la suppression de particules ou de conjonctions qui devraient accompagner des mots remplissant la même fonction. Cette « figure » apporte plus de vivacité au discours :

> Et lanciers, grenadiers aux guêtres de coutil,
> Dragons que Rome eût pris pour des légionnaires,
> Cuirassiers, canonniers qui traînaient des tonnerres,
>
> (V. Hugo, *Châtiments*, « L'expiation », V, XIII.)

B. — « *Figures de mot* ».

Après avoir étudié les principales « figures de construction », nous en arrivons au domaine des « figures de mot » ou tropes.

Vaste programme! Il ne saurait être question pour nous de traiter en détail ce sujet, auquel des volumes entiers ont été consa-
crés (citons au passage le célèbre traité de Du Marsais: *Des tropes ou des différents sens dans lesquels on peut prendre un même
mot dans une même langue*, 1730).

Les « figures de mot » sont dénommées ainsi du fait que le tour
particulier attribué au texte dépend exclusivement d'un mot dont
on a modifié la signification et qu'on utilise dans une acception
différente de son sens premier. Là aussi, le classement de ces
« figures » oppose les grammairiens. N'ayant pas la prétention
de rédiger ici un docte traité de rhétorique, nous avons adopté
une classification « allégée », et, parmi un grand nombre de
« figures », nous avons choisi de présenter les plus importantes.

• La *métaphore* (du grec *metaphora*, « transport ») est une
manière concise d'exprimer une comparaison. Du Marsais, dans
son traité, la définit ainsi: « Il y a cette différence entre la métaphore et la comparaison que, dans la comparaison, on se sert de
termes qui font connaître que l'on compare une chose à une
autre. Par exemple: si l'on dit, d'un homme en colère, qu'*il est
comme un lion*, c'est une comparaison; mais, quand on dit simplement *c'est un lion*, la comparaison n'est alors que dans
l'esprit, et non dans les termes; c'est une métaphore. »

Pour rendre moins banal un texte, afin de remédier à un manque de relief, à une fadeur certaine, la métaphore se révèle très
utile. G. Lanson (*op. cit.*) affirme d'ailleurs: « Je n'ai pas à insister sur l'importance de la métaphore: sans elle, il est impossible
de parler ou d'écrire. Elle a été un des procédés les plus féconds
qui aient contribué à former le langage humain; et, dans le développement et l'évolution de chaque langue, son rôle a été
immense. »

Une *riante* prairie, la *rapidité* de l'esprit, un *torrent* d'injures,
etc., sont des métaphores.

La métaphore est à bannir lorsqu'elle est « forcée », lorsque la comparaison est obscure — ou bien excessive. Accumuler les métaphores, trop les développer, ressusciteraient le parler des Précieuses — langage à éviter absolument.

A. Darmesteter, dans *la Vie des mots*, Delagrave, rééd. 1946, se montre sévère quant à l'emploi immodéré de la métaphore : « ... il y aurait encore à montrer l'abus qu'on peut faire de la métaphore, le danger qu'elle fait courir à la justesse et à la netteté de la pensée, qui risque de lâcher l'idée pour la forme qu'elle lui donne et le fond pour l'apparence. [...] La précision de la pensée peut se perdre dans cette série de comparaisons dont on l'enveloppe. »

• L'autre principale « figure de mot » est la *métonymie* (du grec *metonumia*, « changement de nom »). Cette « figure » se subdivise en plusieurs catégories :

— *a)* Désigner le contenant pour le contenu : « boire une *tasse* de thé, avaler un *verre* d'eau » ;

— *b)* Employer la cause pour l'effet : « Grâce à son travail (à ce qu'il gagne en travaillant), il a pu acheter la villa voisine » ;

— *c)* Prendre le signe pour la chose signifiée : « le *laurier* (la victoire), la *robe* (la magistrature), l'*épée* (l'armée), le *trône* (la royauté) » ;

— *d)* Employer le lieu où une chose est fabriquée pour la chose elle-même : « du *champagne*, un *camembert*, du *cantal*, un *bourgueil*, du *tulle* », etc. ;

— *e)* Désigner le possesseur pour la chose possédée : « M. et Mme Dupont ont *brûlé* » (c'est-à-dire : leur maison a *brûlé*) ;

— *f)* Prendre l'effet pour la cause : « Le mont Pélion n'a point d'*ombres* » (c'est-à-dire : il n'y a point d'arbres, qui sont la cause de l'ombre) [dans Ovide, rapporté par Du Marsais].

En dehors de ces principales sortes de métonymies, il en existe encore d'autres, qu'il n'est pas nécessaire de développer ici. Ainsi que le démontrent clairement les exemples ci-dessus, la métonymie est une « figure qui consiste à substituer le nom d'une chose à celui d'une autre ». Son emploi — fréquent dans la langue — colore le discours.

• La *catachrèse* (du grec *katakhrêsis*, « abus ») constitue pour les lexicologues, à l'exception d'A. Darmesteter (*op. cit.*), un type de « figure de mot ». En fait, il s'agit d'un genre de métaphore. Elle revient, pour exprimer avec exactitude une pensée, à utiliser — par comparaison — un mot déjà existant plutôt que de créer un néologisme qui ne serait peut-être pas très bien compris ou ne refléterait pas la nuance précise de l'intention. Par une extension, fondée sur une imitation ou une comparaison, on forme la *catachrèse*. Ainsi : « les *ailes* d'un moulin, une *feuille* de papier, les *pieds* d'une chaise », etc., sont des exemples de catachrèses.

A. Darmesteter s'en tient à une acception plus classique de la catachrèse, telle qu'elle est aussi étudiée par Du Marsais, c'est-à-dire, au-delà de l'extension, un abus de langage, par oubli de l'étymologie. Ainsi Du Marsais relève-t-il comme étrangeté « des chevaux ferrés d'argent » (les fers peuvent-ils être d'un autre métal que le... fer ?). Comme en est une, devenue licite, l'expression « saupoudrer de sucre » (littéralement, *saupoudrer* : « poudrer de... sel »).

• La *synecdoque* (du grec *sunekdokhî*, « compréhension de plusieurs choses à la fois ») est une espèce de métonymie, où l'on exprime la partie par le tout, le tout par la partie, le singulier par le pluriel et réciproquement, etc.

Les principales sortes de synecdoque consistent donc à remplacer :

— *a*) La partie par le tout: « Servez-moi un *veau*! » (usité, au restaurant, pour commander un *sauté* de veau, etc.);

— *b*) Le tout par la partie: « trois rations de route par *tête* » (c'est-à-dire: « par *homme* »);

— *c*) Le singulier par le pluriel: « les Pasteur et les Jenner ont été des hommes modestes » (c'est-à-dire: « Pasteur et Jenner »);

— *d*) Le pluriel par le singulier: « Le Français est insouciant » (pour: « *les* Français »);

— *e*) Le genre par l'espèce: « J'habite un petit Trianon » (c'est-à-dire: un petit *château*) [très proche de la métonymie *d*];

— *f*) L'espèce par le genre: « un mortel » (c'est-à-dire: « un homme » — alors que les animaux, eux aussi, auraient légitimement droit au titre de « mortels »);

— *g*) L'objet par la matière dont il est fait: « Tu périras par le fer » (c'est-à-dire: par l'*épée*, le *poignard*, etc.).

• L'*antonomase* repose sur le fait de remplacer un nom commun par un nom propre de personne (cas différent du *d* de la métonymie) ou un nom propre par un surnom, une périphrase...

— *a*) « Cet homme est un harpagon [1] » (pour: cet homme est un *avare*); « Ce critique est un *aristarque* » (pour: ce critique est aussi sévère que le grammairien grec Aristarque);

— *b*) « L'aigle de Meaux » (pour: Bossuet); « le Petit Tondu » (pour Napoléon Ier); « le Libérateur » (pour: Bolivar).

---

1. La plupart de ces noms propres introduits dans la langue par antonomase (arlequin, lebel, béchamel, sandwich, etc.) s'écrivent avec une minuscule initiale. D'autres, pourtant couramment utilisés, ne sont pas encore admis par tous les dictionnaires, par exemple: *rastignac* (un) [c'est-à-dire: un « arriviste »]. Il semble logique, dans ce dernier cas, d'indiquer également une minuscule.

REMARQUE: Lorsque des œuvres sont désignées par le nom de leur auteur, le plus souvent ces noms ne prennent pas la marque du pluriel et conservent la majuscule initiale: « J'ai acheté trois Picasso » (c'est-à-dire: trois [tableaux de] Picasso); « À Drouot, on vend cinq Balzac reliés chagrin » (c'est-à-dire: cinq [livres de] Balzac). Toutefois, quelques auteurs ont indiqué le pluriel — tout en maintenant la majuscule: des Titiens, des Chardins...

• *L'allégorie*, enfin, est une accumulation de métaphores se rapportant à un même sujet. Le type même de l'allégorie se trouve dans une élégie de Mme Des Houlières (ou Deshoul[l]iè-res...) intitulée *Dans ces prés fleuris*. L'auteur, sous l'image d'une bergère qui s'adresse à ses brebis (ses enfants), rend compte de tout ce qu'elle a fait pour elles et se plaint doucement de l'adversité. À partir de l'image principale (bergère et brebis), on voit donc apparaître les *loups*, un *chien* qui a été ravi (le mari de Mme Des Houlières, qu'elle avait perdu), *Pan* (le roi), etc.

C. — « *Figures de pensée* ».

Les « figures de pensée » sont des tours particuliers donnés au texte. La « figure » réside dans la tournure, et ne dépend pas du mot. Le nombre de ces « figures » est pléthorique. Voici les plus connues: la *périphrase*, la *litote*, l'*euphémisme*, la *comparaison*, l'*antithèse*, l'*hyperbole*, l'*allusion*, l'*ironie*, la *prosopopée*, l'*apostrophe*, l'*imprécation*, l'*hypothèse*, l'*antiphrase*, la *métalepse*, la *prolepse*, l'*exclamation*, l'*interrogation*, la *suspension*, la *gradation*, la *concession*, l'*interruption*, la *définition*, la *description*, l'*hypotypose*, la *déprécation*, le *dialogisme*, la *prétérition*, la *subjection*, l'*obsécration*, l'*exténuation*, l'*énumération*, la *réticence*, l'*épiphénomène*, la *communication*...
Toutes ces « figures » sont au service de celui qui écrit afin de l'aider à convaincre, de lui permettre de varier son style, de

l'orner, de mieux communiquer un sentiment. Passons en revue les plus importantes:

• La *périphrase* est une manière de parler dans laquelle on exprime sa pensée d'une manière indirecte: *a*) afin d'éviter de citer un mot déplaisant (une « très grave maladie » pour *cancer*); *b*) en vue d'un effet (« les bords sacrés où naît l'Aurore » pour l'*est*).

• La *litote* (du grec *litotês*, « simplicité ») est une « figure » très utile en politique, en diplomatie (« La litote, l'euphémisme et l'allusion sont les trois figures élémentaires de la rhétorique politicienne. Rares sont, parmi les hommes politiques, ceux qui évitent d'y recourir... »; Pierre Viansson-Ponté, « Le vieux Kroumir fait un carnage », *le Monde*, 11-12 décembre 1977). Elle consiste à dire peu — en laissant entendre, en suggérant, beaucoup. C'est le fameux « Va, je ne te hais point » de Chimène à Rodrigue, qui révèle que son amour pour lui est toujours aussi grand.

• La *comparaison* existe sous la forme d'expressions très brèves, qui font proverbe (*malin comme un singe, blanc comme neige, amer comme fiel, frais comme une rose*, etc.) ou bien sous la forme d'un texte développé (style littéraire): « Les deux fleuves s'opposant une résistance égale ralentissaient leurs cours; ils dorment l'un auprès de l'autre sans se confondre pendant quelques milles dans le même chenal, comme deux grands peuples divisés d'origine, puis réunis pour ne plus former qu'une seule race; comme deux illustres rivaux, partageant la même couche après une bataille; comme deux époux, mais d'un sang ennemi [...]. » (Chateaubriand, *Mémoires d'outre-tombe*.)

• L'*antithèse* soumet dans une phrase deux idées opposées. Cette « figure », bien employée, donne naissance à des formules saisissantes : « Il faut des torrents de sang pour effacer nos fautes aux yeux des hommes, une seule larme suffit à Dieu » (Chateaubriand, *Atala*); « Elle à demi vivante et moi mort à demi » (Hugo, *Lég. des siècles*, « Booz endormi »).

• L'*hyperbole* consiste à exagérer un fait, une idée, afin de donner une image amusante ou bien de frapper le lecteur, même si celui-ci ne prend pas à la lettre l'exagération présentée. « Filer plus vite que le vent » est une hyperbole couramment utilisée. Dans son poème *les Larmes de saint Pierre* (1587), Malherbe — emporté par l'emphase — dit, en évoquant le remords de l'apôtre qui avait renié le Christ : « C'est alors que *ses cris en tonnerre s'éclatent, — Ses soupirs se font vents, qui les chênes combattent* ». Formule quelque peu excessive !...

Évoquons rapidement, pour terminer, quelques-unes des autres « figures de pensée » :

• L'*euphémisme* est une variante de la litote. L'*allusion* consiste souvent en un jeu de mots. Exemple, ce placet qu'un sieur Robin présenta au roi afin de conserver la possession d'une île située sur le Rhône : « Que faire de mon île ? il n'y croît que des saules ; — Et tu n'aimes que le *laurier* » (au sens métonymique de : « victoire »). L'allusion réside aussi dans la mention d'un événement ou d'un personnage, afin de suggérer une réflexion, une comparaison : « La jeune république sud-américaine devait elle aussi connaître la Terreur. »

• L'*ironie* (ou *sarcasme*) est reflétée par une raillerie où les mots expriment en fait le contraire de leur sens propre : « Puisque vous le voulez, je vais changer de style. — Je le déclare donc, Quinault est un Virgile. » (Boileau, *Satires*, IX.) En fait, il ne s'agit nullement d'un compliment : Boileau s'acharna contre le poète Quinault. Les deux hommes devaient faire la paix après quelque vingt ans de querelles.

La *prosopopée* est la figure par laquelle soit on évoque les morts, soit on fait parler des absents ou des objets.

L'*apostrophe* consiste dans l'interpellation du lecteur, d'un être présent ou absent, d'un objet, etc.: « Salut ô mer, mon berceau et mon image! » (Chateaubriand, *Mémoires d'outre-tombe*).

• En traitant de la *répétition*, nous avons cité un exemple d'*imprécation* (voir plus haut). Cette « figure » exprime avec conviction, avec passion, le désespoir ou la colère. L'*antiphrase* rejoint un peu l'ironie, puisque les termes employés signifient en réalité tout autre chose que le sens propre (« Eh bien, c'est gai!... » ne reflète pas du tout la joie!). La *métalepse*, par l'exposé d'une conséquence (« nous la pleurons »), fait deviner une cause (« elle est morte »). L'*interrogation* sert à raviver l'attention du lecteur, l'*exclamation* à dépeindre plus fortement passions et sentiments: « Miséricorde! où me fourrer! qui me délivrera? qui m'arrachera à ces persécutions? Revenez, beaux jours de ma misère et de ma solitude! Ressuscitez, compagnons de mon exil! » (Chateaubriand, *Mém. d'outre-tombe*).

• L'*allitération*, retour répété d'une consonne, peut être fâcheuse ou burlesque (*ton tonton*: voir chapitre « La cacophonie »), mais les poètes en usent avec bonheur comme procédé de style: « Pour qui sont ces serpents qui sifflent sur vos têtes? » (Racine, *Andromaque*, V, v). Hugo fut un maître de l'allitération, tant en prose: « Foudroyer d'un *t*el mot le *t*onnerre qui vous *t*ue » (*Misér.*, II, I, 15), qu'en vers: « L'espace — *Vi*bra comme un *vi*trail » (*Lég. des s.*, « Vision de Dante »); « Il n'avait pas d'en*f*er dans le *f*eu de sa *f*orge »; « Un *f*rais par*f*um sortait des tou*ff*es d'as*ph*odèle; — Les sou*ff*les de la nuit *fl*ottaient sur Galgala »; « Une *i*mmense bon*t*é *t*ombait du firma*m*ent » (*Lég.*

des s., « Booz endormi »); « l'oiseau *c*urieux — Et *f*unèbre, *c*rispant son ongle *f*urieux, — *F*rémit. » (*Dieu*, II, II, « Le hibou »); « Le *d*ésert *d*évorait le cortège » (*Chât.*, « L'expiation », I).

Il n'est pas nécessaire d'avoir en tête les noms — assez compliqués le plus souvent — de toutes les « figures » de style, mais il n'est pas superflu de connaître les procédés qui peuvent contribuer à améliorer notre manière d'écrire. L'emploi mesuré de ces « figures » — en évitant de tomber dans l'ornementation excessive des phrases, dans le manque de simplicité — dote notre propos d'une originalité de bon aloi sans nuire au tour correct de l'expression.

PLATITUDE, LOURDEUR, BANALITÉ ET MOTS «PASSE-PARTOUT»

L'emploi excessif des verbes *avoir, être, faire, mettre, dire, se trouver*, etc., l'usage exagéré des pronoms, conjonctions, adverbes, des groupes tels que: *il y a, faire* suivi d'un *infinitif*, tout comme la répétition de mots «passe-partout» (*gens, chose...*), ou bien l'utilisation immodérée du style passif, conduisent à la banalité ou entraînent une pesanteur condamnable.

La répétition d'un mot peut être voulue (voir chapitre des «Figures») et maintenue, afin de conférer plus d'énergie à la phrase. La reprise du mot sera jugée nécessaire, aussi, sous peine d'introduire une impropriété ou une confusion: «Quand, dans un discours, se trouvent des mots répétés, et qu'essayant de les corriger on les trouve si propres qu'on gâterait le discours, il les faut laisser, c'en est la marque [1]. » (Pascal.)

À l'exception de ces cas particuliers, les redites doivent être exclues. Elles ne trahissent que trop l'insuffisance de notre vocabulaire... et notre propension au laisser-aller. Sans chercher à égaler Flaubert dans sa quête de la perfection littéraire, il faut nous inspirer de sa rage minutieuse, traquer les répétitions superflues, bannir les longueurs, choisir le terme approprié...

Il nous faut acquérir quelques réflexes — qui nous permettront d'alléger notre style, en procédant par substitution. Nous

---

1. Noter la répétition du mot *discours* et la reprise du verbe *trouver*.

énumérons ci-après les fautes de style les plus courantes relevant du domaine des répétitions, ainsi que les tournures plus heureuses qui peuvent facilement supplanter nos maladresses premières.

• *Répétition de pronoms relatifs.*

Charles Albalat [1] reproduit, entre autres, une correction de Chateaubriand, par laquelle l'écrivain allégeait un passage de son manuscrit qui comportait beaucoup de *que* et de *qui*:

  * *Texte premier:* « *Que ceux qui* seraient troublés par ces peintures et tentés d'admirer ces idées et ces folies; *que ceux qui* s'attacheraient à moi par mes songes; *que ceux-là* se souviennent *qu'*ils n'entendent *que* la voix d'un mort [...]. »

  * *Texte corrigé:* « *Ceux qui* seraient troublés par ces peintures et tentés d'imiter ces folies, *ceux qui* s'attacheraient à ma mémoire par mes chimères, se doivent souvenir qu'ils n'entendent que la voix d'un mort [...]. »

Si la répétition des pronoms relatifs provoque une lourdeur certaine, l'emploi inutile d'un seul pronom relatif peut aussi être — et cela est plus grave — source de constructions grotesques et, surtout, d'équivoques. Le ridicule apparaît immédiatement dans l'exemple suivant: « J'ai acheté un vieux livre à cet antiquaire, qui est tout moisi. » On peut très bien faire l'économie de ce pronom relatif (« J'ai acheté un vieux livre tout moisi chez cet antiquaire ») ou adopter une autre formulation (« J'ai acheté chez cet antiquaire un vieux livre qui était tout moisi »). Quant à l'ambiguïté, un lecteur quelque peu sagace la relèvera dans la

---

1. *Le Travail du style enseigné par les corrections manuscrites des grands écrivains*; Armand Colin, Paris, 1903.

construction ci-après: « J'ai croisé Agnès, la fille de notre fac-
teur, qui dîne chez nous le jeudi soir. » (Qui vient dîner? Agnès
ou son père?...)

On pourra, en cas d'accumulation outrancière de pronoms
relatifs, en supprimer un (ou plusieurs):

— par l'emploi d'un adjectif: « Les affrontements *qui* devaient
  suivre... » sera avantageusement remplacé par: « Les affrontements ultérieurs... »;
— par la mise en apposition d'un substantif: « Cet industriel,
  qui a une grande fortune, vient de... » peut être allégé en:
  « Cet industriel, doté d'une grosse fortune, vient de... »;
— par l'utilisation d'un adjectif suivi d'un complément: « Des
  aliments *qui* ne doivent pas être consommés » se transformera ainsi en: « Des aliments impropres à la consomma-
  tion »;
— par l'introduction d'un participe suivi d'un complément:
  « C'était un vieillard *qui* portait un grotesque haut-de-
  forme rapiécé » deviendra: « C'était un vieillard affublé d'un
  grotesque haut-de-forme... »;
— par l'introduction d'une préposition seule, ou d'une préposition suivie d'un substantif: « Un ancien *qui* donne de bons
  conseils » peut être modifié en: « Un ancien de bon conseil »;
  « Un gilet pare-balles *qui* garantit contre les balles de gros
  calibre » sera ainsi transformé: « Un gilet pare-balles à
  l'épreuve des projectiles de fort calibre. »

CAS PARTICULIERS: *Ce qui, qui a, qui est, qui ont, qui sont, qui
doit*, etc. Un substantif remplacera avec bonheur le groupe *ce
qui*. Par exemple: « Vous savez *ce qui* s'est passé » sera fort bien
échangé contre: « Vous connaissez les faits, les événements,
etc. » Le groupe *qui doit* (*qui doivent*) suivi d'un infinitif se verra
préférer un participe-adjectif: « Le ministre *qui doit* représenter
le chef de l'État aux obsèques du poète » laissera la place à la

tournure plus légère: « Le ministre chargé de (désigné pour) représenter [...]. » Souvent, l'emploi du participe évite même le maintien de l'infinitif; « Les fonds *qui* doivent servir à l'édification du musée » sera abandonné au profit d'un style plus concis: « Les fonds affectés à la construction du musée. »

Le groupe *qui a* (*qui n'a pas, qui ont...*) peut — également — être renouvelé par l'utilisation d'adjectifs ou de participes-adjectifs précis. Au style scolaire des exemples suivants: « Un texte *qui n'a pas* de sens », « Cette mère de famille *qui a* beaucoup de soucis », nous préférons les tournures plus directes: « Un texte vide de sens, creux », « Cette mère de famille accablée [chargée, écrasée] de soucis ».

• Répétition (quand elle est trop fréquente) des verbes *être, se trouver*, de *il y a*, assortis ou non d'une préposition; on substituera un verbe plus précis, plus expressif:

— « Sur la mer *il y avait* un trois-mâts »: « Sur la mer, croisait (évoluait, voguait, cinglait, filait, naviguait...) un trois-mâts ».

— « Dans ses yeux *il y a* de la colère »: « Dans ses yeux luit (étincelle, brille, naît, se révèle, jaillit...) [de] la colère ».

— « Sous le chêne majestueux *se trouve* une fleur splendide »: « Sous le chêne majestueux se détache (flambe, se dresse, a éclos, se découpe) une fleur... ».

— « Une armée prussienne *était* au Danemark »: « Une armée prussienne (selon le sens: stationnait, campait, s'attardait, demeurait au Danemark, occupait le Danemark) ».

• Répétition abusive du verbe *avoir*; là encore, un verbe plus « spécialisé » sera préféré:

— « *Avoir* de violentes douleurs »: sentir, ressentir, éprouver, souffrir de...

— « *Avoir* des projets ambitieux »: nourrir, entretenir, poursuivre...

— « Ce pic *a* la forme d'une tête d'oiseau » : présente, imite...

— « Ce salon *a* vingt mètres de long » : mesure, compte...

— « Cette plante *a* un fort parfum » : exhale, dégage, émet, répand, produit...

— « Ce cadre *a* un gros salaire » : touche, reçoit, perçoit...

— « Pour la circonstance, le proviseur *a* une redingote » : porte, revêt, arbore (selon le style adopté).

Ch. Albalat [1] note avec raison les négligences de Stendhal. *Le Rouge et le Noir, la Chartreuse de Parme*, regorgent de répétitions. Ainsi relève-t-on : « Julien remarqua qu'il y *avait* sur l'autel des cierges qui *avaient* plus de quinze pieds de haut. » Et Albalat de déclarer tranquillement : « Quand il était si simple de dire : " *Julien remarqua sur l'autel des cierges qui avaient plus de quinze pieds de haut.* " Ou bien : " *Julien remarqua qu'il y avait sur l'autel des cierges de quinze pieds de haut.* " »

REMARQUE : Le verbe de « remplacement » sera, bien sûr, choisi selon le sens exact que l'on entend conférer à la phrase. L'emploi abusif de l'auxiliaire *avoir* résulte souvent de l'utilisation exagérée des temps composés : passé composé, plus-que-parfait... Il convient donc d'éviter prudemment l'accumulation de verbes conjugués à ces temps. Se souvenir, en écrivant, que le passé simple existe.

• Répétition pléthorique des verbes *faire, mettre* : même platitude qu'avec l'usage répété des verbes auxiliaires. La solution de rechange consiste à leur substituer un verbe spécifique, qui exprime plus clairement la pensée de l'auteur, ou un verbe plus imagé.

---

1. *Op. cit.*

— « *Faire* des fouilles » : effectuer, pratiquer, accomplir...
— « *Faire* un calcul » : effectuer (... ou : calculer !)...
— « *Faire* un long chemin » : parcourir, couvrir...
— « *Faire* un complot » : tisser, ourdir, tramer, tresser, nouer...
— « *Faire* un tour » : réaliser, exécuter...
— « *Faire* des reproches » : adresser des... (ou : critiquer, blâ-
   mer, réprouver, remontrer, etc.).
— « *Faire* cesser un conflit » : arrêter, terminer, régler...
— « *Faire* disparaître une erreur » : effacer, rectifier, corriger...
— « *Faire* voir une étoile filante » : montrer, indiquer...
— « *Faire* paraître un livre » : éditer, sortir, imprimer, publier...
— « [...] se *fait* entendre » : résonne, claque, tonne, rugit, éclate,
   retentit, crie, chante, siffle, tinte, craque...
— « *Faire* du tort » : nuire, détériorer, desservir, léser...
— « *Mettre* une robe » : passer, revêtir...
— « *Mettre* une sentinelle » : poster, placer...
— « *Mettre* en demeure » : sommer, citer, enjoindre, signifier...
— « *Mettre* à profit » : exploiter, utiliser, tirer parti...
— « *Mettre* à la mode » : lancer, imposer...
— « *Mettre* en place » : installer, établir, aménager...

Ce qui vient d'être dit ne doit pas laisser supposer que nous
jetions le discrédit sur les nobles verbes *avoir, faire* et *mettre* :
nous en *avons* seulement à l'abus qu'on en *fait* quand on les *met*
à toutes les sauces !

• À « toutes les sauces », les verbes *voir* et *dire* y sont mis
eux aussi. Pour pallier leur banalité, on essaiera de les abandon-
ner au profit de verbes plus expressifs :
— « *Dire* des inepties » : avancer, énoncer, exprimer, débiter,
   proférer...
— « *Dire* des secrets » : dévoiler, divulguer, révéler...
— « *Dire* que... » : affirmer, assurer, déclarer, exposer que...

— « *Voir* la beauté d'une enluminure » : apprécier, admirer, contempler...

— « *Voir* sans crainte la vieillesse arriver » : envisager, considérer, regarder...

• *Répétition des participes présents.*

Charles Albalat rapporte une critique de Louis Veuillot concernant un texte de Théophile Gautier, où l'auteur du *Capitaine Fracasse* traçait le portrait physique de Henri Heine. Dans un passage de quelque vingt lignes, Veuillot relevait sans aménité aucune la présence de deux participes : « [...] la tournure odieuse et même répréhensible des deux participes *ayant* et [*ne*] *manquant*, massifs à faire suer ». Le journaliste catholique se montre ici bien puriste et dénué de... charité chrétienne (parti pris?...). Il est vrai, cependant, qu'une profusion de participes présents, de gérondifs, alourdit très fâcheusement un texte.

Par exemple, une phrase comme celle-ci ne saurait être admise : « La salle d'audience s'emplissait du flot toujours se renouvelant des parties venant en foule à la séance et consultant les avocats au cours des suspensions l'interrompant. »

Il faut l'émonder de plusieurs participes présents en surnombre :

« La salle d'audience s'emplissait du flot toujours renouvelé des parties venant en foule à la séance et consultant les avocats au cours des suspensions qui l'interrompaient. »

Ou bien :

« La salle d'audience s'emplissait du flot toujours se renouvelant des parties qui, venues en foule, consultaient les avocats au cours des suspensions interrompant la séance. »

● *Répétition d'adverbes.*

Les adverbes sont certes faits pour qu'on les utilise. Seule est condamnable leur accumulation, qui (surtout lorsqu'il s'agit d'adverbes en « ment ») alourdit le style. On doit donc les employer avec mesure et, s'il y en a trop, éliminer quelques-uns d'entre eux en se corrigeant.

Remplacer un verbe accompagné d'un adverbe de manière (en *ment*) par un autre verbe, qui exprimera tout autant que les deux autres mots réunis, semble être une heureuse solution: « partir précipitamment » laissera la place à «*filer, décamper, détaler, s'éclipser, se sauver, fuir* » ou bien à « *se défiler, prendre le large* » etc.; « détruire totalement » pourra être remplacé par « *anéantir, écraser, exterminer, liquider, pulvériser, ruiner, supprimer, raser, tuer, abattre* », etc.

On peut, encore, remplacer l'adverbe par un adjectif à condition que le verbe que modifie l'adverbe se mue en substantif: « Après avoir longuement discuté... » peut se modifier ainsi: « Après une longue discussion, les [...] ».

De même, il est possible de substituer à un groupe verbe-adverbe un verbe de sens correspondant. Le premier verbe sera alors conservé, à l'infinitif, et sera dépendant du nouveau verbe: « Apparemment, les joueurs allemands dominent magistralement l'équipe adverse » pourra être remanié en: « Les joueurs allemands paraissent dominer avec maîtrise l'équipe adverse ».

Un autre procédé consiste à substituer au verbe modifié par un adverbe un nouveau verbe, flanqué d'un complément. Dans ce cas, l'adverbe se transformera en un adjectif qui escortera le complément.

Exemple: « Il résista héroïquement aux hordes ennemies » peut être converti en: « Il opposa aux hordes ennemies une résistance héroïque. »

Enfin, d'autres solutions sont offertes par le recours à de nouvelles tournures (telle l'utilisation d'un substantif que suit ou précède un adjectif correspondant à l'adverbe) ou par l'emploi d'un substantif (accompagné éventuellement d'une préposition) proche de l'adverbe à supprimer.

Exemples: « Qui esquive habilement »: *qui esquive avec habileté*, « il répondit favorablement »: *il répondit en termes favorables*, « qui étudie lentement »: *lent à l'étude.*

Dans un texte où n'abondent que trop les « particulièrement », « spécialement », « notamment », etc., il est bon d'en remplacer quelques-uns par: *en particulier, entre autres, surtout, par exemple*, etc. Ces formes évitent la pénible répétition de la finale adverbiale « ment ».

● *Répétition de prépositions.*

Les principaux écueils à éviter, dans l'emploi des prépositions, sont: *a*) les avalanches de *de* et de *à*; *b*) l'utilisation démesurée de prépositions en tête de phrase (*pour, par, sur, dans, sous, avec...*).

On limitera la présence des *de* et des *à* en se servant des verbes transitifs. « Il décida *de* s'emparer *de* la fortune *de* la riche héritière »: « Il décréta qu'il devait accaparer la fortune *de* la riche héritière »; « *À* Berlin, *à* la fin du mois dernier, *à* la suite du vote négatif de la Chambre, ils décidèrent d'en appeler *à* la population »: « *À* Berlin, les 27 et 28 janvier, après le vote négatif de la Chambre, ils résolurent de solliciter l'appui de la population. »

Quand il se révèle utile d'éliminer une préposition placée en tête de phrase, on peut obtenir une nouvelle tournure en transformant en sujet le substantif qui suit cette préposition:

— « *Dans* ce dictionnaire, il y a dix mille acceptions nouvelles »: « *Ce dictionnaire contient* [donne, fournit, offre, présente, etc.] dix mille... »;

— « *Pour* un tel homme, il faut obtenir une extension des pouvoirs » : « *Un tel homme rend* nécessaire l'extension... » ;

— « *De* ces cuirassiers émanait une extraordinaire impression de vigueur » : « *Ces cuirassiers suscitaient* [donnaient, apportaient, communiquaient, dégageaient, produisaient, etc.] une... »

• Modérer l'emploi de *ceci* et de *cela*, qu'un substantif précis peut souvent remplacer avec avantage, et surtout veiller à les utiliser convenablement, *ceci* s'appliquant à ce qui suit ou à ce qui est le plus proche, *cela* à ce qui précède ou à ce qui est le plus éloigné.

On peut les remplacer par un groupe adjectif démonstratif/substantif, ou les éviter par un remaniement du texte, rendu plus précis :

— « Il arrêta une armée autrichienne, mais *cela* n'empêcha pas l'armée principale des coalisés de pénétrer le lendemain en Alsace » : « Il arrêta une armée autrichienne ; *ce succès* n'empêcha pas... » ;

— « Écoutez *ceci* : " A beau mentir qui vient de loin " : « Écoutez ce proverbe : " A beau mentir qui vient de loin ". »

Résumons : les répétitions injustifiées, maladroites, inutiles, dénoncent un style insuffisant, en révélant notre négligence et notre pauvreté de vocabulaire. La recherche du mot juste [1], du terme exact, précis, et l'emploi d'un vocabulaire étendu permettent d'éviter et les répétitions et le recours aux mots « passe-partout ». Il existe de précieux dictionnaires des synonymes, ou analogiques, ainsi que d'utiles ouvrages traitant de ces questions. S'y reporter n'est sûrement pas superflu...

---

1. Voir l'excellent petit livre d'André Rougerie *Trouvez le mot juste* (Hatier, coll. « Profil formation »).

LES « CLICHÉS »

Un proverbe, un dicton, un mot d'esprit, transmis de génération en génération ; un vers, un jeu de mots, un aphorisme, repris et reproduits en citations ; des assonances, des allitérations, des rimes, qui par analogie des sons, par attraction paronymique, s'imposent à nous — et voici créées des associations de mots quasi inséparables dans notre pensée.

Chaque fois, ou presque, que nous écrivons un mot, l'habitude et l'usage accrochent à notre pensée d'autres mots, fréquemment associés au premier par une longue fraternité, des mots-camarades, des mots-rémoras. C'est ce qu'on appelle les « phrases toutes faites », les « clichés », les « lieux communs ».

Ces associations de mots se présentent à nous d'une manière merveilleusement insidieuse, sournoise. Les mots surgissent comme par miracle l'un après l'autre, notre plume trace avec aisance, facilement — machinalement, en fait ! — phrase après phrase. Boileau (*Satire II*, « à M. De Molière », 1663) explique fort bien comment un auteur, tel le « Bienheureux Scuderi, dont la fertile plume — Peut tous les mois sans peine enfanter un volume ! » (ce n'était pas un compliment !), trouve, « sans génie et sans art », à enchaîner les rimes, en ignorant « le travail et la peine » :

> Je ferois comme un autre, et sans chercher si loin,
> J'aurois toûjours des mots pour les coudre au besoin.
> Si je loüois Philis, *En miracles féconde*,
> Je trouverois bientost, *À nulle autre seconde*.

Si je voulois vanter un objet *Nompareil*;
Je mettrois à l'instant, *Plus beau que le Soleil*.
Enfin parlant toujours d'*Astres* et de *Merveilles*,
De *Chef-d'œuvres* [1] *des Cieux*, de *Beautez sans pareilles*;
(Boileau, *Œuvres complètes*, Bibl. de la Pléiade, N.R.F.)

Certes, il ne saurait être question de chasser toute citation, tout proverbe, toute image, tout « lieu commun ». Joseph Joubert (1754-1824), qui fut inspecteur général de l'enseignement, et lié à Chateaubriand et à Fontanes, nous a laissé des pensées, des maximes, qu'il accumula sur de petits carnets pendant près de cinquante ans. Beaucoup de ces notes se rapportent à la littérature, au style. Ainsi il déclare : « Tous les lieux communs ont un intérêt éternel. Ils ne sont lieux communs et universels que parce qu'ils plaisent toujours [...]. » Observons cependant que l'emploi abusif, excessif, des « clichés » aboutira à ne coucher sur le papier qu'un catalogue de lieux communs, qu'un banal présentoir d'images, et à établir un texte plat, impersonnel, froid, quand bien même serait-il émaillé d'images se voulant expressives.

Une populace n'est pas forcément « vile », une masse n'est pas toujours « imposante », une voix grave n'est pas obligatoirement « caverneuse » ! N'oublions pas cette Albion éternellement « perfide », la lune sempiternellement « argentée », l'invariable « juste » courroux et l'onde continuellement « amère ». Lorsque cela sera possible, évitons aussi les : « pieux » mensonge, haine « implacable », pâleur « mortelle », « horribles » détails, « éminent » collègue, ombre « épaisse », ennui « mortel », glas « funèbre », vin « généreux », port « majestueux », « vibrant » éloge et autres « poids des ans » et « main de la Providence ».

Encore une fois, l'utilisation de ces expressions consacrées n'est pas critiquable, mais en abuser est condamnable. Lors-

---

1. « De Chef-d'œuvre » in *Recueil 1667*.

qu'on écrit, il convient de se méfier tout particulièrement des
« lieux communs », trop familiers à notre esprit. Relisons notre
texte et traquons sans merci ceux qui seraient en surnombre !

Les « clichés » sont, en fait, des expressions recherchées, souvent « heureuses », qu'un emploi ultérieur trop fréquent a
rendues banales, poussiéreuses, voire parfois un peu ridicules —
par leur anachronisme. Il serait bien trop sévère de condamner
comme « clichés » ce que l'on appelle, en linguistique, des *syntagmes figés* — c'est-à-dire des groupes d'éléments combinés pris
couramment dans le « bon usage » de la langue actuelle : « de
petites gens », « prendre le train ». Les « clichés » naissent d'images originales créées en dehors des normes du langage usuel et
ensuite affadies par une utilisation trop répétée desdites images.

Ces « clichés » sont souvent des comparaisons rebattues ou
des couples indissociables mots/épithètes :

• Éviter de placer dans vos écrits trop de comparaisons com-
munes telles que : « prudent comme un serpent », « fier comme
Artaban », « silencieux comme un Sioux », etc. De même, en ce
domaine, trop d'originalité nuit. Pour échapper à la banalité, on
risque fort de sombrer dans le grotesque, en créant à tout prix
des comparaisons trop hardies : « Les deux motards le suivaient
sans relâche, telles deux épées de Damoclès. » Bien sûr, dans
certains cas, on peut, à juste titre, rechercher un effet comique.

Y adhérant comme des « tuniques de Nessus » — ainsi que le
décrit excellemment Paul Reboux, — certaines épithètes sont inséparables de certains mots et s'imposent à notre mémoire au
moment d'écrire : entre la « légitime » fierté, les chênes « séculai-
res », la « douce » rêverie et le « strict » nécessaire, les pièges à
nous tendus par ces « clichés » ne doivent pas être négligés ; leur
appariage, familier à notre oreille, masque leur platitude.

LANGAGE PARLÉ, LANGUE ÉCRITE

S'il va de soi que l'on évite d'employer dans le langage écrit les termes vulgaires, triviaux, grossiers, populaciers, il en est d'autres qui, plus inoffensifs en apparence, se révèlent plus dangereux pour celui qui écrit. Il s'agit de mots populaires, moins provocants, qu'un usage courant a « banalisés » en gommant ce qu'ils devaient à l'argot plus ou moins « vert ».

Si, dans la conversation, les mots « balade », « type », « bagnole », « baraque », « fric », « boulot », ne choquent plus, il est préférable, en écrivant, de parler de *promenade*, de *personne* (de *quelqu'un*), de *voiture*, de *maison*, d'*argent* et de *travail*...

Bien évidemment, il est permis — afin d'apporter une touche ironique, humoristique, pour mieux décrire une situation ou une atmosphère... — de citer un ou plusieurs de ces mots. Dans ce cas, il convient de les indiquer entre guillemets, petite précaution qui fera mieux « passer » lesdits mots.

Proscrire également l'emploi des abréviations, qu'elles soient d'origine populaire (ou « dans le vent ») ou d'origine professionnelle, telles que: « bénef » (*bénéfice*), « télé » (*télévision*), « rédac » (*rédaction*), « intox » (*intoxication*), « opé » (*opération*), « occase » (*occasion*), « labo » (*laboratoire*), etc.

Il vaut mieux s'abstenir, aussi, de reprendre dans le discours écrit ces mots à la mode que sont les superlatifs: « super », « extra », « hyper », « génial », « divin », « féodal », « vite fait », « vachement terrible » (!), etc. (voir chapitre « Langages à la mode... »). La puérilité qu'ils traduisent pourrait ne pas être appréciée du correspondant, ou des lecteurs.

De même que les différents aspects de la familiarité doivent être bannis d'une formulation correcte, il est nécessaire d'éviter les jargons technico-professionnels. Le vocabulaire de ces derniers ne saurait être utilisé par quelqu'un qu'à l'usage de ses pairs.

Les *barbarismes* (déformations de mots, emploi de mots inexistants ou usage impropre) et les *solécismes* (fautes dans la construction des phrases) peuvent « passer », ou être rattrapés, dans le langage parlé. Il n'en est pas de même pour la langue écrite. Une fois la lettre postée ou le manuscrit imprimé, ces fautes familières, courantes [1], ne pourront plus être effacées.

Gardons-nous bien de laisser « filer » les *rénumération* [*rému*], *carapaçon* [*capara*], *aller au* [*aller chez le*] coiffeur, *aéropage* [*aréo*], *aréoport* [*aéro*], « *Est-ce que* le trucblic *a-t-il...?* » [« Le trucblic *a-t-il...?* »] *pantomine* [*mime*], *filigramme* [*grane*], etc.

---

1. Voir, dans cette même collection, notre ouvrage *Pièges du langage 1*.

LA PONCTUATION

> « *Il suffit du déplacement d'une virgule*
> *pour dénaturer le sens de ma pensée.* »
> (Michelet.)

La ponctuation est l'art d'indiquer dans le discours écrit les pauses que l'on observe dans le discours parlé — ces pauses étant d'inégale longueur. L'indication de ces pauses est rendue nécessaire : 1° par le besoin de respirer ; 2° par le souci d'exposer clairement les différentes parties du discours, en distinguant les idées secondaires d'avec la proposition principale, en montrant les degrés de subordination. La ponctuation marque aussi des modifications du débit ou du timbre de voix.

À elle seule, la ponctuation peut conférer à des écrits la marque de la personnalité de leur auteur. Par elle, un texte sera intelligible, aisément assimilable — ou bien ne sera qu'un fatras de mots, un enchevêtrement de phrases... bien que des poètes aient cru devoir s'en affranchir.

Cette matière importante et délicate fait l'objet de deux monographies pratiques de parution récente qui nous dispensent de l'approfondir ici. Nous renvoyons donc le lecteur à l'ouvrage d'Albert Doppagne : *la Bonne Ponctuation : clarté, précision, efficacité de vos phrases*, publié dans cette même collection, ou à l'ouvrage de J.-P. Colignon, *la Ponctuation. Art et finesse,* Paris, 1975 (chez l'auteur, 25, avenue Ferdinand-Buisson, 75016 Paris).

DES FAUTES
QUI N'EN SONT PAS TOUJOURS

Non seulement il ne faut pas vivre dans l'obsession des incorrections qu'on peut commettre, mais encore, tout en les traquant, il est bon d'apprendre à les utiliser au besoin. Il existe une sorte de bon usage des fautes qui mue leur vice en vertu. La répétition et le pléonasme (qui est lui-même une sorte de répétition) sont généralement répréhensibles, et pourtant il est possible de s'en servir de façon licite pour obtenir des effets de style.

• Prenons la répétition. Elle est souvent inévitable. Dans un ouvrage sur l'élevage du lapin (cuniculiculture), le mot *lapin* revient sans cesse; on n'y peut rien. Et, dans un ouvrage sur le style, le mot *style*... Nous avons connu un journaliste qui avait une telle phobie de la répétition que, dans un article de vingt lignes sur le vol d'un canard, il avait employé successivement: *animal, oiseau, volatile, anatidé,* et pour finir *palmipède lamellirostre,* par souci de ne pas user deux fois du mot *canard.* Il sied de ne pas tomber dans cet excès.

Cela dit, la répétition peut rendre un texte ridicule, même quand elle a l'excuse de la rigidité administrative comme c'est le cas dans cet exemple puisé au *Bulletin officiel des P.T.T.* du 6 juin 1977: « Fonctions de formateur responsable d'une équipe de formateurs. Le formateur d'une équipe de formateurs exerce les fonctions de formateur. »

En revanche, quand Hugo écrit dans *les Misérables*: « La guerre est faite par l'humanité contre l'humanité malgré l'humanité », la répétition voulue d'un même mot dans une phrase brève produit un effet surprenant.

Profitons du sujet pour conseiller d'éviter l'accumulation rapprochée de plusieurs *dans, pour, en, par*, etc., à moins qu'il ne s'agisse d'une énumération. Exemple licite: « En France, en Espagne et en Italie, on mange des fruits savoureux. » Exemple à condamner: « En allant en Espagne en automobile, nous avons... » (Il est aisé d'écrire: « Allant en Espagne avec notre voiture, nous... »).

— Certaines répétitions de prépositions sont indispensables, et c'est une faute de les omettre. Exemple (fautif): « ... farandole qui ne mène qu'à la guillotine ou la liberté » (*France-Soir*, 26 avril 1977). Il faut: « ... ou *à* la liberté ». Cependant, on élimine la répétition dans les énumérations copieuses; on dit: « Je vais à Paris et à Lyon », mais: « Je vais à Paris, Lyon, Rome, Naples, Palerme, Tunis, Alger et Marrakech » (*cf.* Buffon: « ... tout ce qui a rapport à la naissance, la production, l'organisation, les usages, en un mot à l'histoire de chaque chose en particulier »; *Hist. nat.*, « Consid. gén. » — où, toutefois, on lit aussi: « c'est *à la nature à qui* on doit cette première étincelle de génie », etc., répétition pléonastique qu'eût évitée la construction « qu'on doit »).

— La répétition voulue est chose fréquente chez les poètes. En voici quelques exemples. Chez Baudelaire (*les Fleurs du mal*, CXI, « Femmes damnées »): « Chercheuses d'infini, dévotes et satyres, — *Tantôt pleines* de cris, *tantôt pleines* de pleurs! »

Chez Hugo: « Tu fus, devant les rois qui tenaient la campagne, — Un des *grands* paysans de la *grande* Champagne » (*les Contempl.*, III, II). Il lui est arrivé de répéter quatre fois le même mot dans le même vers: « Aux affirmations de ces prêtres sans joie, — (...) — Dont l'*ombre*, l'*ombre*, l'*ombre* et l'*ombre* est l'horizon! »

Chez Verlaine: « Son *regard* est pareil au *regard* des statues » (*Poèmes saturniens*). Remplacer « au regard » par « à celui » afin d'écarter la répétition affaiblirait et affadirait incontestablement ce vers d'une si magnifique symétrie.

• On proscrit justement le pléonasme quand il est oiseux (battologie, du nom de Battos, roi de Cyrène, qui bégayait) ou choquant. Il est préférable de ne pas dire: un petit nain, une noire mélancolie (grec *melas*, noire). Un pléonasme familier aux terriens est celui-ci: « Ce bateau file 6 nœuds à l'heure. » Il amuse ou agace les marins, qui savent que le nœud est le nombre de milles que parcourt en une heure un bateau. Il faut donc dire: « ... file 6 nœuds » sans rien ajouter. Jules Verne, dans *Mathias Sandorf*, a commis la faute une fois; ce fut sans doute par inadvertance, car plusieurs fois il l'évita dans le même ouvrage. Quant à l'usage licite du pléonasme, voir au chapitre « Les figures ».

Dans une phrase un peu compliquée, on a le droit, si l'on appréhende que l'attribution d'un pronom ne soit ambiguë aux yeux du lecteur, d'expliciter ce pronom en indiquant de nouveau quelle personne il représente; il n'y a pas pour cela incorrection. Exemple: « Furieux de n'être pas encore payé de son travail malgré ses demandes pressantes, alors qu'il savait son " patron " en possession d'une forte avance sur le prix du roman que *lui, le scribe*, était en train d'écrire, il y avait subrepticement introduit un personnage... » (Georges Lecomte, *Ma traversée*, R. Laffont, 1949.)

« *Toute* la nuit *entière* » est pléonastique; « la nuit *tout entière* » ne l'est pas.

SE CORRIGER À BON ESCIENT

Il vous arrivera de vous demander: « Ce texte, je le fignole ou je le laisse tel quel? Si je le peaufine, ne perdra-t-il pas de son authenticité? Si je le maintiens en l'état, ne me reprochera-t-on pas ses imperfections? » Et vous seul, naturellement, pouvez en décider...

Vous vous poserez la question: « Que font les écrivains? » Eh bien! cela dépend. George Sand écrivait vingt pages sans ratures. Certaines écoles littéraires modernes n'admettent que des textes sans retouches. Mais presque tous les auteurs qui ont le plus puissamment aidé à façonner la langue ont beaucoup corrigé. C'était la leçon de Boileau, si souvent rabâchée (*l'Art poétique*, I):

> Vingt fois sur le métier remettez votre ouvrage:
> Polissez-le sans cesse et le repolissez.
> Ajoutez quelquefois et souvent effacez.

Flourens, qui a publié en 1860 un ouvrage sur *les Manuscrits de Buffon*, donne les versions successives de quelques passages de l'*Histoire naturelle* dans lesquels l'auteur du *Discours sur le style* a profondément remanié son texte, ou celui de son collaborateur l'abbé Gabriel Bexon.

À force de corrections, Balzac lassait la patience et la bonne volonté des imprimeurs, plus longanimes pourtant que ceux d'aujourd'hui; parfois, il ne donnait son « bon à tirer » que vers la quinzième épreuve, et certains « placards » devenaient illisibles à force d'ajouts portés en marge.

Hugo se corrigeait avec soin et laissait souvent reposer les textes avant de les revoir; beaucoup de ses vers inédits, qu'il n'a pas eu le loisir de retravailler, sont fort imparfaits, même sous le rapport de la syntaxe, mais il ne remettait jamais à l'impression quelque chose qu'il n'eût relu attentivement.

Nombre d'écrivains du passé ont suivi, et d'autres suivent encore, le conseil de Boileau (*op. cit.*, IV) de se faire relire et critiquer par des amis sûrs — et perspicaces — avant de livrer un ouvrage au public:

> Je vous l'ai déjà dit: aimez qu'on vous censure,
> Et, souple à la raison, corrigez sans murmure.
> Mais ne vous rendez pas dès qu'un sot vous reprend.

En résumé, corrigez donc, mais dites-vous que, tout de même, c'est vous l'auteur, et que c'est vous qui signez. N'oubliez pas non plus que trop s'appliquer au style peut nuire à l'œuvre, ou du moins aller à l'encontre du but recherché.

Tout en abandonnant aux « spontanéistes » la responsabilité de leur doctrine et de ses conséquences, et tout en approuvant dans une certaine mesure le « repolissage » incessant recommandé par Boileau, nous pensons qu'il convient à chacun de trouver une moyenne, un juste milieu, un équilibre, entre le débit naturel du style et·le soin requis par sa correction.

Le culte absolu de la spontanéité, contraire à notre faillibilité native, et la recherche idéale vers une perfection inaccessible sont deux extrêmes qui se rejoignent souvent dans la stérilité de leurs résultats. Comment ne pas penser à ce personnage de Camus qui, depuis des années, limait avec autant d'amour que d'indécision la première phrase d'un roman dont tout le reste était à écrire? Un tel excès de scrupule est un trait d'impuissance.

ANNEXE:

QUELQUES CITATIONS ET RÉFÉRENCES

Le présent guide n'a pas la prétention de prendre rang parmi l'immense bibliographie d'ouvrages savants où la linguistique, le langage, les langues mortes et les langues vivantes, le style et ses composantes, sont scientifiquement étudiés. Plus humble était notre dessein.

Qu'on veuille bien trouver bon que nous empruntions pour finir à quelques auteurs connus, désormais classiques, un petit florilège de références et citations relatives au sujet du style.

Nous les proposons à la réflexion et au jugement du lecteur, sans prendre forcément à notre compte l'intégralité des conseils qu'on y trouvera. Nous n'en appelons pas à l'autorité de leur origine, mais n'est-il pas naturel de consulter l'expérience de ceux qui ont exploré en leur temps les voies et les domaines que nous cherchons à nous ouvrir?

*
* *

BOILEAU

> Aimez donc la raison: que toujours vos écrits
> Empruntent d'elle seule et leur lustre et leur prix.
> . . . .
> Tout doit tendre au bon sens: mais, pour y parvenir,
> Le chemin est glissant et pénible à tenir;
> Pour peu qu'on s'en écarte, aussitôt on se noie.
> La raison pour marcher n'a souvent qu'une voie.
> . . . .

... Ne vous chargez point d'un détail inutile.
Tout ce qu'on dit de trop est fade et rebutant :
L'esprit rassasié le rejette à l'instant.
Qui ne sait se borner ne sut jamais écrire.

(*L'Art poétique*, I.)

BUFFON

Ceux qui écrivent comme ils parlent, quoiqu'ils parlent très bien, écrivent mal. [...] Si l'on écrit comme l'on pense, si l'on est convaincu de ce que l'on veut persuader, cette bonne foi avec soi-même, qui fait la bienséance pour les autres et la vérité du style, [...] fera produire tout son effet, pourvu [...] qu'il y ait partout plus de candeur que de confiance, plus de raison que de chaleur.

. . . .

L'esprit humain ne peut rien créer ; il ne produira qu'après avoir été fécondé par l'expérience et la méditation.

. . . .

Avant de chercher l'ordre dans lequel on présentera ses pensées, il faut s'en être fait un autre plus général et plus fixe, où ne doivent entrer que les premières vues et les principales idées. [...] Pour peu que le sujet soit vaste et compliqué, il est bien rare qu'on puisse l'embrasser d'un coup d'œil, ou le pénétrer en entier d'un seul et premier effort de génie ; et il est rare encore qu'après bien des réflexions on en saisisse tous les rapports. On ne peut donc trop s'en occuper ; c'est même le seul moyen d'affermir, d'étendre et d'élever ses pensées ; plus on leur donnera de substance et de force par la méditation, plus il sera facile ensuite de les réaliser par l'expression. — (*Discours de réception à l'Académie française*, 1753.)

REMY DE GOURMONT

L'art d'écrire, qui ne peut être que l'art d'écrire à la mode du jour, est trop changeant pour pouvoir être enseigné. Le professeur de coupe n'a pas fini son discours que déjà les manches, qui étaient étroites comme des écorces, sont devenues de larges calices. [...] Le secret de longue vie n'est pas dans les procédés, mais dans le mépris des procédés. — (*Le Problème du style*, 1902; réédit. 1938 Mercure de France, X.)

....

Un sot, quelle que soit son habileté à singer le talent, n'a jamais de style; il fait semblant d'en avoir. — (*Op. cit.*, VII.)

....

Il n'y a qu'un style, le style involontaire, riche ou pauvre, imagé ou nu. [...] La préciosité n'est pas désagréable quand elle est soutenue. [...] Si l'on a quelque intelligence, on s'en tire, même sans talent. Il suffit d'ignorer toutes les rhétoriques, de n'user que de mots dont on connaît bien le sens, c'est-à-dire la connexité symbolique avec la réalité, de ne dire que ce que l'on a vu, entendu, senti. [...] Tant vaut la pensée, tant vaut le style, voilà le principe. [...] Le style seul n'est rien. [...] Le signe de l'homme dans l'œuvre intellectuelle, c'est la pensée. La pensée est l'homme même. Le style est la pensée même. — (*Op. cit.*, XIII.)

Si l'on accepte, et il est bon, ce principe qu'une règle grammaticale ne doit être que la sanction de l'usage, du « bel usage », on admettra que la tolérance des infractions doive être très grande lorsque la règle est quotidiennement violée par l'usage même. — (*Op. cit.*, XIV.)

....

Les règles de la grammaire ne sont que des usages rédigés en code par les grammairiens; ces usages sont l'œuvre séculaire du peuple; il y a un droit linguistique, dont l'existence ne tient pas à ce qu'il ait été couché par écrit. — (*La Langue française et les grammairiens*, XXI.)

....

Les mots les plus inertes peuvent être vivifiés par la sensibilité. [...] Tout mot, toute locution, les proverbes mêmes, les clichés, vont devenir pour l'écrivain émotif des moyens de cristallisation sentimentale. — (*Le Problème du style*, III.)

Le style est une spécialisation de la sensibilité. — (*Ibid.*).

VICTOR HUGO

Guerre à la rhétorique et paix à la syntaxe!

(*Les Contemplations*, I, VII, « Réponse à un acte d'accusation ».)

TAINE

On ne se donne pas son style; on le reçoit des faits avec qui l'on est en commun.

RENAN

L'ouvrage accompli est celui où il n'y a aucune arrière-pensée littéraire, où l'on ne peut soupçonner un moment que l'auteur écrit pour écrire; en d'autres termes, où il n'y a pas trace de rhétorique.

SAINTE-BEUVE

Buffon avait l'oreille, la mesure et le nombre. La clarté autant que l'enchaînement était sa grande préoccupation.

GUSTAVE VAPEREAU

En disant, en manière de conclusion, que « le style est *DE* l'homme même », il [Buffon] voulait simplement dire que le plan et l'ordre des pensées sont l'œuvre propre de l'écrivain et lui appartiennent, tandis que les pensées peuvent n'être pas de lui ou peuvent lui être enlevées. La formule de Buffon, avec sa légère modification, a été prise pour la devise d'une théorie individualiste à laquelle il n'avait pas songé, mais qui n'en a pas moins sa part de vérité; car en définitive le style n'est pas la représentation des idées et des choses, mais des impressions très diverses que les idées et les choses font sur nos âmes. [...] Les rhétoriques, traitant du style, en étudient les qualités, qui sont de deux sortes: générales ou particulières. Les qualités essentielles, à la rigueur, se réduisent à deux: la correction et la clarté. [...] À la correction se rattache la pureté, qui n'est qu'une correction exquise et qui a pour exagération le purisme. [...] À la clarté se rapporte la précision, sans laquelle l'incertitude du sens des mots rend la pensée elle-même incertaine. D'autres qualités qu'on appelle encore générales, le naturel, la convenance, l'harmonie, etc., sont d'un grand prix, sans être d'une nécessité aussi absolue.

Les qualités particulières sont beaucoup plus nombreuses; [...] c'est par elles que le style manifeste cette empreinte personnelle que le mot rappelle à l'esprit. Les principales des qualités particulières sont l'énergie, la concision, la profondeur, l'éclat, la noblesse, la délicatesse, la grâce, l'élégance, etc. — (*Dictionnaire universel des littératures*, 1876; 2ᵉ édit., 1884.)

JEAN COCTEAU

Les vraies larmes ne nous sont pas tirées par une page triste, mais par le miracle d'un mot en place. — (Cité à la télévision par la musicienne Nadia Boulanger.)

[*Note*. — Sous la signature R.B., *la République du Centre*, d'Orléans, du 8 juillet 1977, commentait ainsi cette citation (« Sur une phrase de Jean Cocteau »): « Dans un beau texte [...], ce n'est pas toujours le sujet qui nous touche le plus, mais tel ou tel " bonheur " de style: une épithète opportune, une métaphore saisissante, qui vient non seulement à l'endroit où on l'attendait, mais là où on ne l'attendait pas. » Ce commentaire comporte, à sa façon, une leçon de style.]

SAN-ANTONIO (Frédéric DARD)

Je me fous de la grammaire comme de ma première culotte bateau. [...] Que ceux qui sont contre la syntaxe à la production me contactent. L'avenir du langage, c'est moi!

(*En long, en large et en travers*, p. 46.)

[En réalité, à l'aise parmi les innovations argotiques et les prouesses de vocabulaire, San-Antonio se soumet, comme chacun, à une syntaxe et à une grammaire. C'est tout naturel: du risque de n'être pas compris par tout le monde, il préfère ne point passer à celui de ne plus l'être par personne...]

PIERRE GUIRAUD

Le mot *style*, ramené à sa définition de base, [reste] une manière d'exprimer la pensée par l'intermédiaire du langage. [...] La grammaire est la science de ce que l'écrivain ne peut pas faire, la stylistique de ce qu'il peut faire.

(*La Stylistique*, Introd., Presses univ. de France, Paris, 1975.)

JEAN GIRAUDOUX

(...) Ce secret dont l'écrivain est le seul dépositaire : le style.

JEAN DUTOURD

Les pédants et les savants de la Renaissance ont abîmé le français en y jetant des cargaisons de mots grecs et latins. Mais au moins était-ce des savants. Aujourd'hui, ceux qui détériorent le français sont des ignorants qui veulent causer chic et moderne, qui disent *briefing* (brifine) pour conférence, *tea-break* (tibrèque) pour pause-café et « dans un premier temps » pour d'abord.

(« Feu sur le franglais ! Feu sur l'hexagonal ! »,
France-Soir, 26 juillet 1972.)

TABLE DES MATIÈRES

Roland Godiveau

1000 difficultés courantes du français parlé

«Ajaksio» ou «Ajassio» ?
«Si-na-ï» ou «Sinaille» ?
Affréter ou fréter ?
Amarrage ou arrimage ?
Amodier ou amender ?
Apologie, apologue, éloge ou panégyrique ?
Bagagerie ou consigne ?
Epigramme, épigraphe ou épitaphe ?
Pénitencier ou pénitenciaire ?
Des sopranos ou des soprani ?
Madame le Président ou Madame la Présidente ?
Rien moins que ou rien de moins que ?
Etes-vous sans savoir ou sans ignorer ?

Comment «traduire» :
by pass, factoring, tax free shop,
hot money, check-up, leasing,
hover craft, rating, mailing, overdose,
dead-heat, royalty, scoop, skipper, spray...?

Duculot

J.-P. Colignon
et P.-V. Berthier

Pièges du langage (1) barbarismes solécismes contresens pléonasmes

Achalandé ou approvisionné ?
Avatar ou aventure ?
Batteur d'estrade ou bateleur ?
Chevalier ou capitaine d'industrie ?
Coupe sombre ou coupe claire ?
Décade ou décennie ?
Canné ou cannelé ?
Calfater, calfeutrer ou colmater ?
Expatriation ou expatriement ?
Faction ou fraction ?
Un homard à l'américaine ou à l'armoricaine ?
Tant qu'à faire ou à tant que faire …?

Duculot

J.-P. Colignon
et P.-V. Berthier

Pièges du langage (2) homonymes paronymes «faux amis» singularités et Cie

Repaire ou repère ?
Aigrefin ou aiglefin ?

Krak, crac, crack ou krach ?
Echoir ou échouer ?
Prémisses ou prémices ?
Bimensuel ou bimestriel ?
Cuissot ou cuisseau ?

Duculot

Jacques Cellard

Le subjonctif: Comment l'écrire? Quand l'employer?

Quand faut-il employer le subjonctif... et l'éviter?
Le subjonctif imparfait est-il encore obligatoire?
Quoique, quoi que, bien que ou malgré que?

Peut-on dire:
«Jusqu'à tant que nos stocks soient écoulés»?
Faut-il écrire:
«Après que la police se fut éloignée» ou «se fût éloignée»?
«J'admets que vous avez raison»
ou «que vous ayez raison»?
«Qu'il ait» ou «qu'il aie»?
«Que nous essayons» ou «que nous essayions»?

Duculot